C'EST ARRIVÉ...
DEMAIN !

POUR UN HORRIBLE CAUCHEMAR

C'EST ARRIVÉ...
DEMAIN !

**Texte et illustrations
de
Richard Petit**

Les presses d'or

Les presses d'or (Canada) inc.
7875, Louis-H.-Lafontaine
Bureau 105
Anjou (Québec)
H1K 4E4
Téléphone : (514) 355-7703
Télécopieur : (514) 354-3144
Courriel : marketing@lespressesdor.com
Site Internet : www.lespressesdor.com

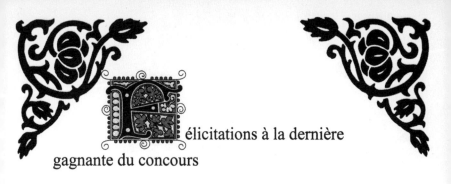

élicitations à la dernière gagnante du concours

STAR D'UN PASSEPEUR :

Audrey Jolibois, de Franconville (France).

TE VOILÀ ! Immortalisée sur la couverture du Passepeur numéro 13 qui s'intitule « C'est arrivé... DEMAIN ! ». Comme ça, emprisonnée dans une immense horloge, les deux bras qui se transforment en aiguilles, je trouve que tu fais... UNE BELLE VICTIME ! La photo de toi que tu m'as fait parvenir m'a beaucoup inspiré pour la création de cette illustration et m'a rendu la tâche facile.

Je te remercie d'avoir participé au concours. Ton dessin est très réussi et très original. Je le conserverai toujours...

Richard Petit

TOI !

Tu fais maintenant partie de la bande des
TÉMÉRAIRES DE L'HORREUR.

OUI ! Et c'est toi qui as le rôle principal dans ce livre où tu auras bien plus à faire que de tout simplement... LIRE. En effet, tu devras déterminer toi-même le dénouement de l'histoire en choisissant les numéros des chapitres suggérés afin, peut-être, d'éviter de basculer dans des pièges terribles ou de rencontrer des monstres horrifiants.

Aussi, au cours de ton aventure, lorsque tu feras face à certains dangers, tu auras à jouer au jeu des **PAGES DU DESTIN...** Par exemple, si dans ton aventure tu es poursuivi par une espèce de monstre répugnant et qu'il t'est demandé de TOURNER LES PAGES DU DESTIN afin de savoir si ce monstre va t'attraper, la première chose que tu dois tout de suite faire, c'est de placer ton doigt tout tremblotant ou un signet à la page où tu es rendu. Ensuite, SANS REGARDER, tu fais glisser ton pouce sur le côté de ton Passepeur en faisant tourner les feuilles rapidement pour finalement t'arrêter AU HASARD sur l'une d'elles.

Maintenant, au bas de la page de droite, il y a plusieurs petits pictogrammes. Pour savoir si le monstre t'a attrapé, il n'y en a que deux qui te concernent, celui de l'espadrille et celui de la main.

Pour le moment, tu ne t'occupes pas des autres, ils te serviront dans d'autres situations. Je t'explique tout un peu plus loin.

Comme tu as peut-être remarqué, sur une page, il y a une espadrille et sur la suivante, il y a une main et ainsi de suite, jusqu'à la fin du livre. Si, en tournant les pages du destin, tu t'arrêtes au hasard sur le pictogramme de l'espadrille, eh bien bravo, tu as réussi à t'enfuir. Là, retourne au chapitre où tu étais rendu : il t'indiquera le numéro de l'autre chapitre où tu dois aller pour fuir le monstre. Si tu es le moindrement malchanceux et que tu t'arrêtes sur le pictogramme de la main, eh bien, le monstre t'a attrapé. Là encore, tu reviens au chapitre où tu étais, mais tu auras par contre à te rendre au chapitre indiqué où tu tomberas entre les griffes du monstre.

Lorsqu'on te demandera de TOURNER LES PAGES DU DESTIN, tu n'utiliseras, selon le cas, que les DEUX pictogrammes qui concernent l'événement. Voici les autres pictogrammes et leur signification...

Pour savoir si une porte est verrouillée ou non :

 Si tu tombes sur ce pictogramme-ci, cela signifie qu'elle est verrouillée ;

 Si tu t'arrêtes sur celui-ci, cela signifie qu'elle est déverrouillée.

Pour savoir dans quelle partie du temps vous allez être projetés :

 Ce pictogramme signifie dans le passé ;

 Celui-ci veut dire vers le futur.

Dans cette nouvelle aventure qui vous conduira du temps des dinosaures jusqu'à l'ère des androïdes, un nouvel instrument vous sera indispensable...

VOTRE YO-YO D'AVENTURIER !

Tu devras maîtriser parfaitement son maniement si tu veux espérer terminer ce Passepeur... UNE DES CES NUITS !

Ce yo-yo est très spécial. Son fil est en acier, et il peut, comme un lasso, te servir à éliminer des ennemis, attraper des objets hors de portée ou remplacer une corde et t'aider à traverser des obstacles. Pour atteindre ce que tu vises avec ton yo-yo, tu dois faire preuve d'une grande adresse aux jeux des Pages du destin. Comment ? C'est simple, regarde dans le bas des pages de gauche de ton livre : il y a un petit cercueil.

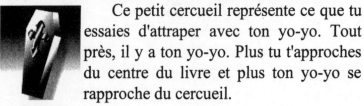 Ce petit cercueil représente ce que tu essaies d'attraper avec ton yo-yo. Tout près, il y a ton yo-yo. Plus tu t'approches du centre du livre et plus ton yo-yo se rapproche du cercueil.

Lorsque, dans ton aventure, il t'est demandé de tourner les Pages du destin et de bien viser avec ton yo-yo une cible quelconque, il te suffit de tourner rapidement les pages de ton Passepeur et de viser le centre du livre en l'ouvrant légèrement. Lorsque tu crois avoir atteint l'une des cinq pages centrales, ouvre-le complètement. Si tu as réussi à viser l'une des pages portant cette image :

Eh bien bravo ! Tu as visé juste et tu as atteint ce que tu visais avec ton yo-yo. Tu n'as plus qu'à suivre les indications au chapitre où tu étais, que tu réussisses ou non...

Ta terrifiante aventure débute au chapitre 1. Et n'oublie pas : une seule finale te permet de terminer... *C'est arrivé... DEMAIN !*

1

« Tu es bouché ou quoi ! te chuchote Marjorie en surveillant le brocanteur du coin de l'œil. Il t'a dit qu'il ne fallait pas toucher à cette montre...

— PFOU ! souffles-tu dans sa direction. Tu y crois, toi, à son histoire de voyage dans le temps ? Il a inventé ça juste pour qu'une personne naïve, comme toi, lui achète cette vieille babiole à prix d'or.

— Je ne suis pas naïve, se choque-t-elle. Et je n'ai pas du tout l'intention d'acheter cette cochonnerie, j'ai juste peur que ce soit vrai, c'est tout.

— Eh bien ma chère, je vais te prouver sur-le-champ que tu t'énerves pour rien », lui dis-tu en remontant la montre.

CRIC ! CRIC ! CRIC ! fait le remontoir lorsque tu tournes trois fois la couronne de la montre.

Autour de vous, tout se met subitement à tourner.

« OH NON ! se met à crier Jean-Christophe. Dites-moi que ce n'est pas vrai... »

Tes pieds ne touchent plus le plancher, et tu es transporté avec tes amis au chapitre 42, au carrefour des SPIRALES DU TEMPS...

2

Une interminable spirale vous transporte au milieu d'une bande de gladiateurs, dans un grand amphithéâtre à ciel ouvert.

« C'est le Colisée de Rome, reconnais-tu. Je crois que nous sommes en 80 après Jésus-Christ parce que j'aperçois l'empereur Titus assis dans la loge royale, là-bas », montres-tu à tes amis.

Il s'agit bien de l'empereur Titus, le vil amateur de combats sanglants. Il lève le bras, et les lourds grillages sont soulevés. Des lions affamés arrivent dans l'arène, et la foule hurle.

OOOUUUAAAH !

« QU'EST-CE QU'ON FAIT ? demande Marjorie. QU'EST-CE QU'ON FAIT ?

— ON NE FAIT RIEN ! répète Jean-Christophe. ON NE BOUGE PAS ! Il ne faut surtout pas changer le cours de l'histoire.

— T'es complètement fou ! dis-tu à ton ami. Si on reste ici, je peux te dire comment va se terminer notre histoire... DANS L'ESTOMAC DE CES CAR-NIVORES ! »

Tu attrapes Jean-Christophe par le bras et tu le traînes jusqu'au chapitre 55.

3

Les rails tournent vers la droite et forcent le train à retomber sur ses roues. **BROOOUM** *!*

Jean-Christophe et Marjorie te hissent sur le toit, où tu seras en sécurité. Derrière vous, bonne nouvelle : la bande de Jérémy Jackson n'est plus en vue. Vous sautez d'un wagon à l'autre jusqu'à la locomotive pour annoncer aux conducteurs qu'il n'est vraiment plus nécessaire de rouler si vite.

Dans la cabine de conduite, vous découvrez que les conducteurs ont sauté hors du train et ont lâchement abandonné à leur triste sort tous les passagers.

« Nous ne pouvons pas ralentir le train, t'explique Jean-Christophe. Lorsque le charbon se sera consumé dans la chaudière, il ralentira de lui-même.

— Et le frein, lui ? te demande Marjorie. Il ne sert à rien ?

— Un frein, c'est fait pour freiner, pas pour ralentir, lui explique son frère.

— On fait quoi alors ? » le questionne-t-elle encore...

Vous allez au chapitre 95.

4

Tu observes attentivement chacune des **SPIRALES DU TEMPS**. Elles semblent tout aussi inhospitalières les unes que les autres.

Rends-toi au chapitre inscrit sur celle que tu auras choisie...

5

Vous recommencez encore en essayant de tourner le remontoir seulement deux fois. Mais le résultat va de mal en pis, car maintenant, il neige, et à la place des maisons, il y a sur la rue Bellemort... DES IGLOOS !

Vous essayez une autre combinaison, puis une autre, jusqu'à ce que tout vous paraisse être revenu à la normale.

Jean-Christophe se penche du haut de la tour du clocher pour s'en assurer. Il examine attentivement chaque recoin de la ville. Dans la rue, les gens marchent sur leurs deux jambes ; c'est un bon début. Sur la rue Pasdebonsang, tous les commerces semblent être à leur place. Le poste de pompiers est là, lui aussi, ainsi que le supermarché. Les spirales du temps semblent tournées dans le même sens maintenant. Jean-Christophe note cependant un petit détail, une petite chose qui n'est pas redevenue comme avant. C'est qu'à la place de l'école, il y a maintenant un immense parc d'attractions rempli de manèges illuminés et d'arcades...

« EXCELLENT ! te crie-t-il, satisfait. NE TOUCHE PLUS À RIEN... »

FIN

Une spirale de fumée bleue qui tourne apparaît et vous absorbe comme un aspirateur. D'horribles petits picotements parcourent tout ton corps. Lorsque tout s'arrête, vous vous métamorphosez devant un homme vraiment branché à son ordinateur.

Pris de dégoût, vous vous rendez au chapitre 75.

7

Ton yo-yo d'aventurier manque carrément la poutre et tombe dans la fosse. Tu voudrais bien le remonter pour faire une deuxième tentative, mais une multitude de petits scorpions ont entrepris de grimper au fil avec la ferme intention de se rendre... À TON DOIGT !

« VITE ! te crie Marjorie. Débarrasse-toi vite de ton yo-yo... »

Tu essaies fébrilement d'enlever le fil, mais le nœud coulant est comme soudé. Marjorie grimace à la vue de ces bestioles hyper moches sur le point d'atteindre ta main.

Derrière vous, la maman scorpion entre dans une colère terrible. Jean-Christophe essaie de la retenir, mais elle fonce sur vous comme un taureau furieux. Ses énormes pinces vous poussent tous les trois dans la fosse.

Vous chutez **BLAAAM !** *au chapitre 87.*

Ton yo-yo d'aventurier manque sa cible et va s'enrouler à un arbre. Les hommes préhistoriques avancent vers vous. Il n'y a rien comme un petit pique-nique en forêt, semblent-ils tous se dire en se pourléchant les babines. Tu actionnes la montre à voyager dans le temps, et vous vous retrouvez deux minutes dans le passé devant une autre Marjorie, un second Jean-Christophe et un double de toi-même qui te regarde d'une façon plutôt confuse. Vous êtes maintenant six contre les hommes préhistoriques.

Tu répètes le même geste plusieurs fois jusqu'à ce que vous vous retrouviez deux fois plus nombreux qu'eux. 20 Marjorie, 20 Jean-Christophe et 20 toi-même... UNE ARMÉE !

Tu fais tourner ton yo-yo dans les airs au-dessus de ta tête. Les 19 doubles de toi-même t'imitent et, ensemble, vous chassez les cannibales qui s'enfuient et disparaissent dans le creux de la forêt avec leur petit creux.

Tu remontes la montre-bracelet 19 fois jusqu'à ce que tous vos doubles soient revenus chacun dans leur temps.

Tu actionnes une dernière fois la montre pour retourner au carrefour des SPIRALES DU TEMPS, au chapitre 4...

Parmi ce fourbi d'ordinateurs et d'écrans, elle reste introuvable. Alors que vous cherchez une autre solution, la pièce tout entière est balayée par un faisceau laser violet qui stoppe le mouvement de ta montre-bracelet.

Tu remontes la couronne du remontoir, une fois, deux fois, VINGT FOIS ! Rien à faire, elle ne fonctionne plus. La porte coulissante s'ouvre, et des bras mécaniques pourvus de pinces saisissent Jean-Christophe. Vous vous accrochez à lui, mais un autre rayon laser, bleu cette fois, vous cloue au sol.

La porte s'ouvre à nouveau quelques heures plus tard. C'est Jean-Christophe ; il a réussi à leur échapper. Vous allez pouvoir vous évader tous les trois ensemble. Enfin, c'est ce que tu crois jusqu'à ce qu'il te fasse un beau sourire et te montre sa DENTITION TRANSISTORISÉE ! De longs fils électriques pendent de son dos jusqu'à un ordinateur situé loin dans une autre pièce.

Les bras mécaniques réapparaissent, te saisissent et te traînent à ton tour...

Lorsque tu reviendras tout à l'heure de la salle d'assemblage, tu pourras enfin te vanter d'être la personne... LA PLUS BRANCHÉE !

FIN

Le train stoppe à la gare, et vous descendez sur le quai. Le vent souffle et soulève, dans les rues désertes de la ville, des vagues de sable qui entre dans tous les orifices de ton visage. Tu étouffes presque. KOUF ! KOUF ! Tu sais maintenant pourquoi les cow-boys portent tous des foulards. De drôles de boules d'herbe séchées par le soleil roulent dans la rue.

Au milieu de la ville, lorsque vous traversez un parc, tu es pris d'une curieuse impression...

« Ce parc, montres-tu à tes amis, ressemble étrangement à celui où nous jouons à la balle, chez nous, à Sombreville.

— T'as raison, se met à réfléchir son frère, qui cherche à comprendre. Mais j'y pense, cette ville s'appelle Dark City... NOUS SOMMES À SOMBRE-VILLE ! »

Vous vous élancez vers le magasin général pour y cueillir un journal. Il y est écrit 7 mars 1885. Vous connaissez bien l'histoire de Sombreville. Vous savez bien que le premier bijoutier ne s'est établi dans la ville qu'en 1903. QU'ALLEZ-VOUS FAIRE ?

Allez au chapitre 105.

Vous vous jetez dans la spirale, qui se met aussitôt à tourner de plus en plus vite. Tu fermes les yeux parce que tu commences à être sérieusement étourdi. Enfin, tout s'arrête d'un seul coup, et tes pieds touchent le sol.

Vous vous retrouvez au milieu d'un mécanisme d'horloge géant. Vous faites très attention pour ne pas être broyés par les énormes roues dentées qui tournent autour de vous. Le tic et le tac du balancier sont assourdissants.

TIC ! TAC !

Une créature étrange court inlassablement dans une immense roue, comme un hamster dans sa cage.

Vous vous rendez au chapitre 57.

22

Ils vous encerclent en pointant leurs lances pointues vers vous. Tu examines leurs armes. Elles sont fabriquées avec une simple branche au bout de laquelle est attachée une pierre aiguisée.

« Nous sommes à l'ère des hommes préhistoriques, montres-tu à Jean-Christophe en pointant la lance. J'en suis sûr... »

Le plus grand des hommes préhistoriques s'avance vers vous. Autour de son cou, il porte un lugubre collier fait de crânes humains et d'os. Nul doute que ces hommes préhistoriques sont des cannibales à la fois bourrés de mauvaises intentions et à l'estomac... VIDE !

D'un geste rapide, tu dégaines ton yo-yo d'aventurier et tu le lances vers la grosse tête laide du grand cannibale. Vas-tu réussir à l'atteindre ? Pour le savoir...

... TOURNE LES PAGES DU DESTIN et vise bien.

Si tu as réussi à atteindre le cercueil avec ton yo-yo, ça veut dire que tu as aussi atteint le grand cannibale en plein sur la tronche. Rends-toi donc au chapitre 80.

Si, par contre, tu as manqué ton coup, va au chapitre 8.

« LA MONTRE SACRÉE ! clament-ils tous en portant les bras vers toi.

— OUI ! La cérémonie peut commencer, annonce le vieil homme en se dirigeant vers l'autel.

— La cérémonie ! répètes-tu, paniqué. NON ! Vous n'allez tout de même pas nous sacrifier à votre dieu ?

— Vous avez ouvert la porte des spirales du temps en remontant la montre sacrée, vous explique-t-il. C'est à vous de tout remettre en ordre. Dirigez-vous vers le futur, c'est là que se trouve... VOTRE PASSÉ !

— Le passé dans le futur ? lui demande Jean-Christophe. Qu'est-ce que ça veut dire ce baratin ? Ça n'a aucun sens ce que vous dites...

— Lorsque vous avez activé cette montre à voyager dans le temps, vous explique le vieil homme, l'ordre des différentes époques de l'histoire de la Terre s'est mélangé. Résultat : une guerre à finir fait rage dans le futur. L'issue de cette guerre décidera du sort de l'humanité. ALLEZ COMBATTRE DANS LE FUTUR ! »

Vous êtes reconduits vers l'autel au chapitre 31.

25

Vous dévalez avec hâte le flanc de la montagne jusqu'à la ville détruite. En fouillant dans les décombres d'un édifice, Marjorie parvient à trouver un vieux journal.

« CE JOURNAL ! vous crie-t-elle en apercevant la date. Il est daté d'aujourd'hui. Il est arrivé une grande catastrophe le jour même où nous sommes partis dans le temps...

— Tu crois que les spirales du temps se sont entremêlées à cause de nous ? demandes-tu à Jean-Christophe.

— C'est possible, soupçonne-t-il. Voyager dans le temps comporte d'énormes risques. Si jamais on réussit à revenir à notre époque, je ne suis pas certain de retrouver Sombreville comme elle était lorsque nous sommes partis. »

Des paroles lointaines parviennent soudainement à vos oreilles. Vous vous dirigez vite au coin de la rue vers une église d'où semblent provenir... DES CHANTS MÉLODIEUX !

Au chapitre 96.

La porte coulissante glisse et s'ouvre. Vous poussez le lourd coffre-fort hors du wagon. La bande de Jérémy Jackson se lance à la poursuite du coffre qui dégringole une colline. LE POISSON A MORDU !

« BIEN JOUÉ ! vous dit Jean-Christophe. Maintenant, il ne faut pas rester une seconde de plus ici. Le Far West est beaucoup trop dangereux pour des pieds-tendres comme nous. Tourne la couronne de la montre : il faut vite quitter cette époque... »

Tu portes ton index et ton pouce à la montre et remarques que la petite couronne du remontoir a disparu. MALHEUR ! Elle s'est probablement détachée de la montre lorsque tu manipulais le lourd coffre-fort. À quatre pattes, vous cherchez la minuscule pièce du mécanisme. Marjorie finit par la retrouver entre deux planches.

Vous essayez de la remettre en place, mais rien à faire.

« Il faut trouver un bijoutier, dit Jean-Christophe. Nous n'avons pas le choix. »

Le train s'arrête quelques kilomètres plus loin à la gare de Dark City.

Descendez du train par le chapitre 10.

17

Le lendemain, la une du journal O.K. Koral fait état d'une évasion spectaculaire de la bande de Jackson. Le shérif met aux enchères votre yo-yo d'aventurier ainsi que la montre-bracelet à voyager dans le temps pour acquitter les coûts d'une vaste chasse à l'homme. Vous fuyez vers le sud, au Mexique, car des centaines de cow-boys sont sur le coup.

Avec la bande de Jérémy Jackson, vous attendez que les choses se calment. Vous remontez quelques semaines plus tard vers le nord pour piller systématiquement tous les trains et les bijouteries à la recherche de la montre-bracelet.

Crois-tu que tous ces méfaits vont finir un jour par ramener cette montre-bracelet autour de ton poignet ? NON ! Tout ce qui risque d'arriver, c'est une corde autour du... COU !

FIN

Le garde donne aussitôt l'alerte en soufflant dans une corne de buffle.

GHOUUUUUUUU !

Du poste de surveillance, six soldats armés d'arcs et d'épées se lancent à l'assaut de la pyramide et à votre poursuite. Tu attrapes une torche et, devant tes amis, tu t'engouffres dans l'entrée de la pyramide. Tu cours dans le tunnel qui descend en pente douce et tu t'engages ensuite dans un passage étroit sans savoir où il se termine. Les pas bruyants des soldats qui vous poursuivent résonnent sur les parois du tunnel. Vous arrivez dans la grande salle mortuaire dans laquelle se trouve le sarcophage du pharaon. La seule sortie de cette salle est l'endroit par où vous êtes entrés. ZUT !

« C'EST UN CUL-DE-SAC ÉGYPTIEN ! » hurle Marjorie.

Derrière vous, les soldats surgissent. Vont-ils réussir à vous attraper ? Pour le savoir...

... TOURNE LES PAGES DU DESTIN !

S'ils vous attrapent, allez au chapitre 39.

Si, par une chance incroyable, vous réussissez à vous enfuir, rendez-vous au chapitre 59.

« BANDIT, VOUS DITES ! répète-t-il en souriant, pas insulté du tout. Je serai dans les premières loges lorsqu'on vous passera la corde au cou, à l'aube », rajoute-t-il avant de disparaître avec sa bande.

Les ronflements de l'assistant du shérif brisent le silence à l'intérieur de la prison. Il roupille, les pieds sur le pupitre, assis en équilibre précaire sur les pattes arrière de sa chaise.

Arrivent l'aube et, comme prévu, le shérif. Il ouvre la porte de la cellule et se confond, à votre grand étonnement... EN EXCUSES !

« Vous êtes libres, vous annonce-t-il. Nous avons reçu un télégramme nous avisant que la bande de Jérémy Jackson a été capturée par le régiment de cavalerie du général George Croustad.

— Merci, shérif, lui dis-tu, sans rancune. Pourrions-nous ravoir nos trucs, il faut que nous partions au plus vite. »

Le shérif acquiesce tout de suite. Il réveille son assistant, qui sursaute et tombe à la renverse sur le plancher.

BANG ! CRIIING !

Allez au chapitre 64.

20

L'oiseau est touché. Il fait un vol plané et plonge dans l'abreuvoir des chevaux, qui hennissent.

PLOUCH !

Devant toi, le cow-boy cesse vite de sourire lorsqu'il se rend compte... QU'IL N'A PLUS UNE SEULE BALLE DANS SON COLT ! Il se met à tripoter son arme puis la laisse tomber sur le sable. Tu enclenches le chien de ton revolver. Il lève les bras en l'air en signe de soumission...

Des baraques sortent de partout les gens de la ville. Le shérif procède à l'arrestation du cow-boy et de ses acolytes qui se révèlent être Jérémy Jackson et sa bande, les criminels les plus recherchés de l'État.

On vous présente le médecin de la ville, qui peut amputer une jambe, arracher une dent, extraire une balle... ET RÉPARER LES MONTRES BRISÉES ! Grâce à lui, vous réussissez à retourner à votre époque.

Depuis, chaque jour, avant d'aller à l'école, tu fais un petit détour pour contempler au milieu du petit parc... LA STATUE DE TOI QUE LES GENS DE DARK CITY ONT ÉRIGÉE !

FIN

Vous vous jetez dans la spirale, qui se met aussitôt à tourner plus vite. Tu te sens tout drôle. Tu fermes les yeux parce que tu commences à être sérieusement étourdi. Enfin, tout s'arrête d'un seul coup, et vous arrivez devant deux grandes et solides portes toutes cloutées.

« Nous avons été envoyés à l'époque des châteaux médiévaux ? en conclut à première vue Marjorie.

— Non, pas du tout ! lui répond son frère Jean-Christophe. Regarde sous tes pieds. »

Marjorie baisse la tête et sursaute lorsqu'elle constate qu'il n'y a pas de plancher, mais seulement un ciel sombre constellé d'étoiles. Elle s'accroche à ton cou...

« AAAAH ! crie-t-elle. Nous allons tomber...

— Cette antichambre est un relais temporel, vous explique Jean-Christophe. Cette époque du temps est constituée de deux sous-périodes secondaires. Il faut encore choisir. »

Allez au chapitre 93.

22

RIEN À FAIRE ! Ton yo-yo reste introuvable...
Tu remontes la couronne de ta montre en espérant que tout sera normal lorsque tu arriveras dans le futur. Vous croisez tous les trois vos doigts et vous entrez dans une spirale, puis dans une autre. Les spirales du temps se succèdent, et vous n'êtes pas encore revenus à votre époque.

Quatorze spirales plus tard, vous apparaissez enfin dans la boutique du brocanteur. Vous déposez la montre sur le comptoir et vous filez à l'extérieur. Autour de vous, rien ne semble avoir changé. Les gens parlent toujours votre langue, et les voitures circulent du bon côté de la route. Peut-être que ton yo-yo perdu dans le temps n'a finalement rien changé...

Jean-Christophe n'est pas convaincu. Il veut en avoir le cœur net. Il insiste pour que vous alliez tous les trois à la bibliothèque municipale pour vérifier dans les livres d'histoire.

Pour qu'il cesse de se tourmenter, vous vous rendez au vieil édifice situé sur la rue Litdemort, au chapitre 69.

23

À quelques kilomètres dans la vallée, un arbre est tombé sur les rails. Marjorie l'aperçoit à la dernière minute et applique les freins.

SCRIIIIIIIIIIIIII !

Le train s'immobilise juste à temps dans un nuage de vapeur. Vous descendez de la locomotive, et des passagers curieux descendent en même temps des wagons. Tu remarques, en essayant de bouger l'arbre avec tes amis, qu'il n'est pas tombé tout seul et que quelqu'un... L'A DÉLIBÉRÉMENT SCIÉ !

C'EST UNE EMBUSCADE ! Vous faites demi-tour et vous détalez à toutes jambes vers la locomotive en criant aux passagers de reprendre leurs places. Une flèche se plante dans la locomotive, **SIOOOUU !** puis une autre, **SIIOOOUUU !** Des centaines de flèches sifflent de partout.

« TOUT LE MONDE À L'ABRI DANS LE TRAIN ! hurle Jean-Christophe, en aidant les passagers à remonter à bord. NOUS POUSSERONS LE TRONC AVEC LA LOCOMOTIVE... »

Tu libères le frein, et le train se met à avancer jusqu'au chapitre 48.

L'estomac bien rempli, les rameurs s'endorment l'un après l'autre, et tout devient silencieux. Seul le joli clapotis des petites vagues qui viennent se briser sur la coque de la barque royale sont audibles. Vous essayez tous les trois de faire glisser vos mains hors des fers que vous avez aux poignets, mais rien à faire, pour vous libérer, il vous faut absolument la clé...

Le garde-chiourme roupille pas très loin de toi. Tu aperçois, accroché à la ceinture de sa jupe... SON TROUSSEAU DE CLÉS ! Tu t'étends de tout ton long et tu étires le bras. Rien à faire, il est hors de portée. Marjorie baisse la tête en signe de découragement. Tu plonges ta main dans ta poche pour en ressortir ton yo-yo d'aventurier. Voilà ta chance de prouver à tes amis que ta petite invention fonctionne. Si tu réussis bien sûr à atteindre le trousseau. Pour le savoir...

*... **TOURNE LES PAGES DU DESTIN** et vise bien.*

Si tu attrapes le trousseau avec ton yo-yo, rends-toi au chapitre 32.
Par contre, si tu l'as raté, va au chapitre 62.

Vous avez réussi à vous sortir des griffes de ces cannibales, mais la partie est loin d'être terminée, car la faune de cette forêt préhistorique semble plutôt menaçante. Vous semblez maintenant être suivis par une sorte de bête qui ne cesse de grogner.

GRRRRRRR ! FRRRR !

Vous arrivez devant une large crevasse. Un arbre tombé peut cependant vous permettre de la traverser.

Essayez de la traverser au chapitre 76.

« Sur la plage du Nil, parmi les milliers d'esclaves, j'ai remarqué que vous portiez des vêtements modernes, vous explique-t-elle. Comme les miens. J'ai su aussitôt que vous arriviez du futur. Comme moi, vous êtes de Sombreville.

— C'est donc toi qui nous a fait donner ce repas tantôt, lorsque nous étions dans la cale, en déduit Marjorie.

— Oui, parce que vous n'auriez pas survécu à cette infecte bouillie de poisson, lui répond-elle. Je veux retourner chez moi, à Sombreville, se lamente-t-elle ensuite dans les bras de Jean-Christophe.

— Et comment va-t-on faire pour revenir dans le futur ? demande Marjorie. Nous attendons que le temps passe ? 5000 ans, c'est très long...

— Pour revenir à notre époque, explique Karine avec chagrin, il faut malheureusement avoir cette foutue montre-bracelet à voyager dans le temps. Comme vous voyez, nous sommes fichus... »

Allez au chapitre 66.

27

« Cette nuit, ils ont tenté de s'évader, explique le garde-chiourme à l'officier. Ils doivent être punis et recevoir la sentence prescrite dans les textes de loi.

— Et que disent ces fameux textes ? demande l'officier, sur un ton soumis.

— AUX RAMES À VIE ! sourit méchamment le garde-chiourme.

— Eh bien, cher serviteur de la marine royale, les lois sont là pour être respectées, tranche l'officier. Ces trois bagnards seront à votre service pour le restant de leur misérable vie.

— À VIE ! répète Marjorie. C'est trop long ça... TROP LONG ! »

FIN

LA BALLE POURSUIT SA TRAJECTOIRE !

Dans un geste de désespoir, tu lèves ton bras pour te protéger. La balle heurte ton poignet, et tout se met à tourner autour de toi. Tu te dis que cette fois-ci, c'est vrai... C'EST LA MORT !

Ton poignet te fait horriblement mal. Tu le regardes et constates que tu ne saignes pas et que la balle du colt s'est miraculeusement plantée dans ta montre-bracelet.

Toujours en vie, tu te demandes pourquoi alors tu te sens si étourdi. Parce que, vois-tu, la montre s'est activée et va te transporter une dernière fois dans l'une des spirales du temps, à l'an 4085, à l'époque où des robots cruels, des « Finitators » créés par l'homme, règnent sur terre en maîtres.

Seul rescapé de ton espèce, tu seras traité comme un esclave. Ils t'en feront baver.

Pas facile d'oublier que ton triste destin, tu le dois au fait que tu as remonté une stupide montre à voyager dans le temps. Surtout quand tu songes que tu vas passer le reste de ta vie à.. REMONTER DES PETITS ROBOTS !

FIN

De l'autre côté de la crevasse, vous êtes attaqués par des petits dinosaures affamés qui se jettent sur vous en meute. Tu actives la montre-bracelet, mais tu commets une belle bourde en la remontant quatre tours au lieu de trois. Une immense spirale vous aspire et vous jette au beau milieu de la rue Bellemort à Sombreville.

Autour de vous, les voitures roulent à reculons et les gens marchent à quatre pattes sur le trottoir. En plus, le soleil est bleu et le ciel est brun...

« TU AS BOUSILLÉ LES SPIRALES DU TEMPS ! te crie Jean-Christophe. IL FAUT CORRIGER LA SITUATION ! »

Tu remontes la montre trois fois cette fois-ci, et vous retournez dans le passé. Tu la remontes encore trois fois, et vous revenez dans le présent. Ça ne s'arrange pas parce que des voitures volent dans le ciel et des chiens discutent en sirotant un café sur une terrasse.

Avant de réactiver à nouveau la montre, vous montez tout en haut du clocher de l'église au chapitre 5, question d'avoir une meilleure vue d'ensemble de la ville et de mieux surveiller les changements qui pourraient survenir.

30

Le train amorce sa descente vers la vallée. Tu veux profiter de cette dernière chance de t'assurer que la voie est toujours libre jusqu'à la prochaine ville. L'EST-ELLE ?

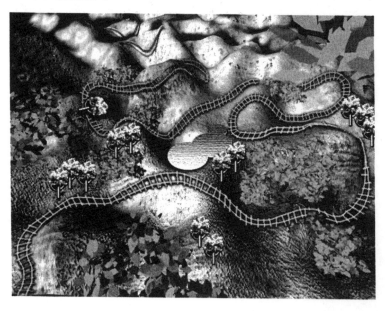

Observe à nouveau cette image. Elle est différente de l'image précédente. Si tu trouves en quoi elle diffère, rends-toi au chapitre 102. Par contre, si tu ne remarques rien, va au chapitre 23.

Tu actives la montre, et vous vous trouvez projetés 5000 ans dans le futur. Autour de vous, c'est la désolation. La terre, enfin ce qui en reste, n'est qu'un désert de débris et de cendres. C'EST LA GUERRE ! comme disait le vieil homme...

Des rugissements terrifiants et des salves de « pistolasers » résonnent au loin. Le ciel est assombri par une fumée permanente qui flotte dans le ciel. Les dinosaures du passé et les robots du futur vous disputent la domination de la planète, à vous, les humains du présent.

Le destin du passé se situe dans l'avenir, comme disait le vieil homme.

« Je comprends maintenant, vous dit Jean-Christophe. L'histoire de toute l'humanité va se décider aujourd'hui. Comme les aiguilles d'une horloge qui partent du chiffre douze et qui y reviennent douze heures plus tard ! Le temps tourne en rond lui aussi. Il ne faut pas que les dinosaures gagnent cette guerre, sinon nous retournerons des millions d'années dans le passé. Pas plus qu'il ne faut que les robots gagnent, parce que là, nous serions tous projetés dans le futur. Si on veut que tout redevienne normal... NOUS DEVONS GAGNER LA GUERRE ! »

Vous allez au chapitre 58.

32

Le yo-yo s'enroule autour du grand anneau.

« Génial ! » murmure Jean-Christophe.

Tu donnes un petit coup sur le fil, et le trousseau de clés se décroche de la ceinture du garde-chiourme. Tu tires lentement, et le trousseau glisse sur le plancher, sans faire le moindre bruit, jusqu'à toi.

Libérés de vos fers, vous grimpez l'échelle qui conduit au pont. Avec la tête, tu soulèves la trappe pour t'assurer que la voie est libre. Il fait nuit, et personne n'est en vue.

Vous vous hissez furtivement sur le pont. Un soldat affecté au quart de nuit fait sa tournée, lampe à l'huile à la main. Il arrive dans votre direction. Vous cherchez une chaloupe à tribord, mais il n'y a aucune embarcation. Vous entrez pour vous cacher dans une cabine somptueusement décorée et arrivez face à face avec... LA PRINCESSE EN PYJAMA !

« POUAH AH AH ! se tord de rire Marjorie. Un pyjama aux motifs de Tipou, l'ourson de la télé... »

Rends-toi maintenant au chapitre 41.

33

Marjorie t'attrape par ton chandail juste à temps, mais ta torche quitte ta main et tombe dans la fosse. Elle s'écrase quelques mètres plus bas, sur le fond de la fosse, et jette sa lumière sur des centaines de bébés scorpions tout blancs qui s'agitent sous la pluie d'étincelles... C'EST LE NID DU SCORPION !

Ils attendent tous en bas, gourmands et pinces grandes ouvertes, que maman leur rapporte de quoi les nourrir. Marjorie frissonne en les voyant s'agiter. Ne perds plus de temps ! Dégaine ton yo-yo d'aventurier, attache le fil à ton index et vise la poutre. Vas-tu réussir à l'atteindre ? Pour le savoir...

... TOURNE LES PAGES DU DESTIN et vise bien.

Si tu parviens à attraper la poutre, SUPER ! Balancez-vous tous les trois de l'autre côté de la fosse, au chapitre 91.

Par contre, si tu l'as raté, va voir ce qui vous arrive au chapitre 7.

Tu soulèves une pierre et tu la passes derrière toi à Jean-Christophe qui lui, à son tour, la passe à Marjorie qui elle, la dépose derrière elle. Vous faites ces gestes des dizaines de fois avant de finalement libérer la voie. La galerie débouche sur un carrefour de galeries éclairées par des puits de lumière. Par terre, dans le sable, il y a un parchemin de papyrus enroulé.

Jean-Christophe le déroule avec précaution.

« C'est un plan de la pyramide, remarque-t-il en même temps que vous. Mais tout est écrit avec des hiéroglyphes. Je n'y comprends rien...

— Ouais ! Mais c'est tout de même un plan, se réjouit Marjorie. C'est super, non ?

— Je ne vois pas ce qu'il y a de super, lui répond son frère, agacé. Tu vas me dire que t'es architecte, toi, et que tu sais lire ce genre de plan...

— Euh, non ! fait-elle d'un air complètement perdu. Mais ce n'est pas bien grave, parce que, comme tu dis toujours : l'important, c'est d'avoir un plan... »

Rends-toi au chapitre 90.

35

Contrairement à vous, la meute de gros balourds ne court pas très vite. Vous réussissez à les semer dans la forêt en courant en zigzag entre les arbres. Vous ne savez pas qui ils étaient, mais nul doute qu'ils étaient hostiles, en témoignent leur accoutrement et leurs armes.

Vous progressez avec lenteur dans cette forêt obscure en cherchant des indices sur l'époque où la spirale du temps vous a conduits. Entre deux arbres au loin, vous apercevez un objet assez gros qui contraste avec ce qui l'entoure. Vous vous approchez et découvrez qu'il s'agit du capot d'une voiture. Elle est presque complètement ensevelie sous des couches de terre.

« Des hommes préhistoriques ? Une voiture enterrée ? cherche à comprendre Jean-Christophe. C'est illogique cette histoire, il y a quelque chose qui cloche ici. »

Un peu plus loin, un petit sentier vous mène au pied d'une montagne escarpée.

Pour avoir une vue d'ensemble des lieux, vous l'escaladez jusqu'au chapitre 94.

En effet, cette fresque indique le chemin pour aller à la fosse du dieu blanc ainsi que la voie de la sortie. À condition bien sûr que tu réussisses à déchiffrer les signes... SANS TE TROMPER !

Rends-toi au chapitre inscrit sur la fresque qui, tu crois, conduira les soldats embrouillés vers la sortie de la pyramide !

37

Tu presses d'autres touches, et l'ordinateur t'apprend que ce fameux bogue s'est bien manifesté. Minuscule et inoffensif, il a attendu pendant des mois, tapi dans les profondeurs des transistors de tous les ordinateurs du monde, sans que les humains se doutent de quelque chose. La nuit du 29 juin 2003, il a atteint sa maturation mathématique, et la rébellion des machines a commencé. Douze heures plus tard, le monde entier leur appartenait. Les machines ont commencé ensuite à mutiler les humains pour en faire leurs esclaves biomécaniques...

« Il faut faire quelque chose, insiste Jean-Christophe. On ne peut pas laisser ça comme c'est...

— Mais tu as dit tantôt qu'il ne fallait pas intervenir, répliques-tu. Que c'était dangereux et qu'il pourrait y avoir un tremblement du temps...

— Peu importe les conséquences de nos actes, t'explique-t-il. Ça ne peut pas être pire que ça. Nous, les humains, esclaves des machines, tu y as pensé ? »

Vous fouillez l'ordinateur à la recherche d'une façon de détruire tout le système. Le dossier « DESTRUCTION DU BOGUE » fait mention du virus ML-5. Ce virus, implanté quelques jours avant l'an 2000... AURAIT PU DÉTRUIRE LE BOGUE !

Vous vous rendez au chapitre 83 pour en savoir plus.

38

Vous vous jetez dans la spirale qui se met aussitôt à tourner plus vite. Tu te sens tout drôle. Tu fermes les yeux parce que tu commences à être sérieusement étourdi. Finalement, au bout de quelques secondes, tout s'arrête d'un seul coup, et tes pieds touchent le sol. Tu ouvres les yeux, car le plancher vibre sous toi. Jean-Christophe jette un coup d'œil à un hublot et constate que vous êtes tous les trois à l'intérieur du wagon blindé d'un train fonçant à travers une plaine.

« OÙ ON VA COMME ÇA ? demande Marjorie.

— La question n'est pas où on va, mais à quelle époque sommes-nous ? » la reprends-tu.

Des coups de colts retentissent soudainement. **BANG ! BANG ! BANG !** Dehors, huit cow-boys à cheval poursuivent le train. Leur visage est masqué par un foulard. C'est la jadis célèbre bande de Jérémy Jackson. Des pilleurs de banques, de diligences et de trains sans scrupules qui ne laissent jamais un témoin de leur crime... VIVANT !

Va au chapitre 98.

La troupe de soldats arrive en trombe dans la salle mortuaire et vous encercle. Tu voudrais prendre un élan pour tenter de t'enfuir par le passage, mais un soldat grassouillet ruisselant de sueur se poste devant l'entrée.

Foptitep, le chef des soldats, pointe son épée à un centimètre de ton torse. Tu fermes les yeux...

« Vous allez nous suivre jusqu'à la fosse des déserteurs, grogne-t-il en essayant de retrouver son souffle. Tout esclave qui tente de s'enfuir mérite châtiment.

— QUEL CHÂTIMENT ? veut savoir Marjorie.

— Dans les profondeurs les plus sombres de la pyramide, il y a une fosse humide habitée par le dieu blanc, un hippopotame qui se nourrit de chair humaine, vous explique Foptitep. Vous serez jetés dans cette fosse tous les trois. Si l'hippopotame vous laisse repartir avec vos misérables vies, c'est que vous aurez obtenu le pardon de la reine et que vous deviendrez... DES ESCLAVES LIBRES ! »

Vous marchez, escortés par les soldats, jusqu'au chapitre 100.

Certains d'avoir choisi la bonne voie, vous attrapez tous les trois une torche et vous manœuvrez dans une longue série de galeries. Vous avancez plus silencieusement lorsque des bruits surviennent.

GRRRRRRRRRR ! BOUUM !

Devant vous, la galerie ne débouche nulle part. Tu ne comprends plus rien.

« Quoi ! Une impasse ? fais-tu, ahuri. J'ai pourtant suivi ce plan à la lettre, égyptienne en plus. J'en ai la certitude... »

Marjorie baisse sa torche au niveau du sol et découvre des traces fraîches de sandales dans le sable qui vont vers le mur.

« C'ÉTAIT BIEN LA SORTIE ! se met à crier Marjorie. ILS VIENNENT DE BOUCHER L'ENTRÉE DE LA PYRAMIDE AVEC UNE GROSSE PIERRE ! Nous sommes pris pour l'éternité, et l'éternité... C'EST TRÈS LONG ! »

Même si c'est complètement idiot, vous essayez tous les trois de pousser l'immense pierre de calcaire. Elle ne bouge pas d'un millimètre. C'est normal, car elle pèse des tonnes.

Abattus, vous partez vers le chapitre 74.

« Oups, pardon Votre Altesse ! s'excuse vite Marjorie, qui a peine à retenir son fou rire. C'est sorti tout seul...

— Tu n'as pas à te faire de reproches, lui pardonne la princesse.

— Mais, Princesse Karine, demande Jean-Christophe, avec tout le respect que je vous dois, d'où tenez-vous ce pyjama ? Il n'y avait pas de pyjama aux motifs de Tipou l'ourson dans l'ancienne Égypte, et encore moins de télévision...

— Vous avez entièrement raison, explique la princesse en s'assoyant sur sa couchette couverte de coussins en satin. Ce pyjama vient du futur, comme vous... ET MOI ! poursuit-elle. Il y a de cela plusieurs mois, je partais chez mon amie Sarah. Sa mère avait organisé un *pyjama party* à l'occasion de son anniversaire. J'ai voulu lui offrir un petit cadeau. Je savais qu'elle adorait les antiquités, je suis donc allée chez...

— LE BROCANTEUR DE LA RUE PAS-DEBONSANG ! » s'exclame Marjorie, tout d'un trait.

Tourne vite les pages de ton Passepeur jusqu'au chapitre 46.

Vous flottez tous les trois dans les airs devant quatre spirales de fumée qui ne cessent de tourner.

« C'est le carrefour des SPIRALES DU TEMPS, vous explique Jean-Christophe. Il faut choisir celle que nous allons emprunter avant qu'elles ne se referment si nous ne voulons pas passer l'éternité ici.

— Il faut enlever nos souliers avant d'entrer ? dit Marjorie, qui commence sérieusement à être étourdie.

— Ce n'est pas le temps de dire des niaiseries, gronde son frère.

— Dire des niaiseries ! reprend-elle, les pieds en l'air et la tête en bas. Je n'ai pourtant pas prononcé ton nom...

— ARRÊTEZ-VOUS ! cries-tu. ARRÊTEZ-VOUS ! N'oubliez pas que nous sommes tous les trois les Téméraires de l'horreur. Si nous voulons espérer nous en sortir, il faut arrêter de se chamailler. Douze fois auparavant, nous nous sommes sortis de ce genre de situation. Nous réussirons encore une fois. Il suffit de ne pas dépenser notre énergie dans de stupides disputes... »

Allez au chapitre 4 pour choisir votre spirale du temps...

« Moi, je sais lire, dis-tu à Foptitep en levant la main timidement.

— TOI ! te crie-t-il en te jetant un regard incrédule.

— Oui ! lui confirmes-tu en examinant au-dessus de son épaule les images gravées. Je peux lire ces textes.

— Dans ce cas, exécute-toi sur-le-champ, esclave », t'ordonne t-il.

Tout de suite, tu t'approches du mur.

« Mais qu'est-ce que tu fais ? te demande Marjorie, les yeux agrandis d'étonnement. Remets ton cerveau dans le bon sens.

— Tu ne vas pas lui indiquer le chemin pour se rendre à la fosse de l'hippo mangeur d'homme ? proteste aussi Jean-Christophe, d'un air ahuri.

— Du calme, les amis, leur murmures-tu. Ces hiéroglyphes indiquent le chemin de la fosse, c'est vrai, mais ils doivent certainement aussi contenir des indications pour sortir de la pyramide. Mon plan ? rajoutes-tu en leur faisant un clin d'œil, je vais les envoyer vers la sortie au lieu de les diriger vers la fosse... »

Tu te places juste devant la fresque, au chapitre 36.

44

CES SCARABÉES SONT PEUT-ÊTRE LA CLÉ !

Vous examinez tous les trois le plan et remarquez qu'il y en a un ici, un autre là...

Rendez-vous au chapitre que tu auras choisi.

45

La porte est verrouillée. Alors que tu allais donner un gros coup de poing dessus, un rugissement terrible fait trembler le sol.

GRRROOOOUUUUW !

Des pas lourds, très lourds, résonnent de plus en plus fort. Peu importe ce que c'est, ça vient dans votre direction... Vous cherchez désespérément une place pour vous cacher, mais avant que vous ayez pu trouver refuge... APPARAÎT UN TYRANNOSAURE !

Il approche sa tête affreuse de toi. Tu te jettes sur le sol et tu roules sur le côté. Sa mâchoire claque dans le vide, **CLAC !** Il rugit, balance sa longue queue et abat d'un seul coup le clocher de l'église. Vous profitez du nuage de poussière pour vous débiner jusqu'à la ruelle. Le tyrannosaure cherche de tous les côtés et pousse un gémissement en s'éloignant. Appuyé à un mur, tu te laisses choir sur le sol.

« Jamais auparavant je n'ai vu la mort de si près », bredouilles-tu à tes amis, aussi effrayés et essoufflés que toi.

Un petit craquement survient de derrière le mur ! **CRAC !** Qu'est-ce que c'est ?

Tu penches la tête vers le chapitre 14 pour le savoir...

46

« OUI ! et en fouillant dans une vitrine, poursuit-elle, je suis tombée sur...

— UNE VIEILLE MONTRE-BRACELET ! l'interrompt encore une fois Marjorie.

— Non, mais tu n'as pas fini de lui couper la parole ? tonne son frère Jean-Christophe. Laisse-la terminer.

— Oui, une vieille montre-bracelet, continue-t-elle. Je l'ai remontée pour voir si elle fonctionnait encore et, à ce moment précis, je me suis retrouvée devant des spirales et ensuite devant un roi et une reine dans un palais de l'Égypte ancienne. Ils m'ont adoptée et élevée au rang de princesse. Ils croient que je suis un don divin de leur dieu Amon, mais ce n'est pas le cas.

— Karine Binouche, c'est toi ! te rappelles-tu maintenant. Oui, c'est ça ! Ta photo a été placardée sur tous les commerces du quartier. Tu ne peux pas t'imaginer comment tu manques à tes parents. Ils croyaient que tu avais fais une fugue. Tout le monde t'a cherchée partout... »

Allez au chapitre 26.

47

Même en vous y mettant à trois, vous êtes incapables de l'ouvrir. Tu sors la tête dehors par le hublot à la vitre cassée et remarques qu'elle est verrouillée de l'extérieur par un gros cadenas.

L'un des membres de la bande de Jackson arrive au galop devant votre wagon. Avec son gros cigare, il allume la mèche d'un bâton de dynamite. Tu rentres la tête à l'intérieur et tu regardes tes amis d'un air assez paniqué. Le bâton de dynamite traverse le hublot et roule sous le coffre-fort.

Vous quittez le wagon blindé par une bouche d'air située au plafond jusqu'au toit du wagon voisin. Le bâton de dynamite explose et pulvérise une partie du wagon.

BRAAAAOOOUUUMM !

Le train est violemment secoué. Il danse sur le rail de gauche, retombe et danse maintenant sur celui de droite. Tu perds pied...

Tu t'agrippes juste à temps à l'échelle latérale du wagon de marchandises. Le train arrive sur un pont et penche dangereusement dans le vide, au-dessus d'un profond précipice...

Rends-toi au chapitre 3.

48

MALHEUR ! Le tronc roule sous les roues et stoppe la locomotive. De la vapeur chuinte de partout, et les roues tournent dans le vide.

Une tribu d'indiens aux peintures de guerre encercle le long cheval d'acier en poussant de grands cris.

OUUUUU ! OOU ! OOOUUU ! OUUUUU !

Vous êtes vite capturés et traînés jusqu'à leur réserve dans une vallée bien abritée. Au milieu d'une forêt de tipis en peaux de bison, vous attendez, attachés tous les trois à des poteaux... QUE L'ON VIENNE VOUS SCALPER !

Le chef, couronné de toutes ses plumes, arrive vers vous, les bras croisés devant son torse. Il te dépouille de ton yo-yo d'aventurier et se met à l'examiner avec curiosité. Limité dans tes gestes par les lacets de cuir, tu essaies de lui expliquer le fonctionnement. Il saisit très vite. Il attache le yo-yo à son doigt et le lance. Il sourit, mais entre vite dans une colère terrible lorsque qu'il s'envoie le yo-yo... SUR LE GROS ORTEIL !

Va au chapitre 97.

CRIC ! CRIC ! CRIC ! fait le remontoir lorsque tu tournes trois fois la couronne de la montre. Vos pieds ne touchent plus le plancher, et vous êtes aussitôt ramenés tous les quatre au carrefour des SPIRALES DU TEMPS.

Quelle chance ! La spirale du présent est là. Vous vous jetez dedans avant qu'elle ne disparaisse, pour enfin retourner dans la boutique de la rue Pasdebonsang.

« Qu'est-ce que vous faites ici ? rugit le brocanteur. La boutique est fermée. Vous vouliez me voler ? Foutez-moi le camp d'ici, bande de petits vauriens, avant que j'appelle la police...

— NON MONSIEUR ! cries-tu. Nous ne sommes pas une bande de truands. Nous sommes des clients et nous voulons acheter... CETTE MONTRE-BRA-CELET !

— Cette montre-ci ? répète-t-il, pour en être bien sûr. Qu'est-ce qui te fait croire que tu peux te payer un pareil TRÉSOR ? te demande-t-il, en frottant sa barbe grise. C'est au-dessus de tes moyens, j'en ai bien peur.

— Mais nous n'avons pas un rond ! te chuchote Jean-Christophe. On ne peut pas l'acheter.

— Cette foutue montre a assez créé d'ennuis comme ça, lui expliques-tu, IL FAUT L'ACHETER... »

Va au chapitre 106.

50

Tu attrapes la disquette et tu la montres fièrement à tes amis. Jean-Christophe te presse d'agir. Tu sauvegardes le fichier du virus et tu remontes la couronne de la montre. Tout de suite, une spirale du temps vous transporte de façon inespérée, le soir du 31 décembre 1999, dix minutes avant minuit. VITE !

Vous ne savez pas dans quelle ville vous êtes, mais ça ne fait rien, parce que presque tout le monde possède un ordi. Vous vous élancez vers la maison qui se trouve devant vous. Dehors, les guirlandes de lumières scintillent et, à l'intérieur, on fait la fête.

« Ces gens qui s'amusent ne se doutent même pas de ce qui se prépare dans leur ordinateur », chuchotes-tu à Marjorie.

Vous grimpez à l'étage, ouvrez une fenêtre et pénétrez dans une salle de lecture où est installé un ordinateur. Tu insères la disquette et tu presses le bouton « exécuter ». Le virus s'infiltre dans tout l'ordinateur, qui est maintenant prêt à accueillir le bogue... À MINUIT !

MISSION ACCOMPLIE !

Tu remontes la montre et vous disparaissez vers le chapitre 4.

Foptitep et ses soldats s'engagent dans la direction que tu leur as donnée. Vous empruntez une série de passages et de couloirs et vous vous enfoncez plus profondément dans la pyramide. Tu commences à te poser de sérieuses questions. Me serais-je trompé ? Ai-je bien décodé les hiéroglyphes ?

Au bout d'une interminable galerie, vous arrivez dans une enceinte. Une série de flambeaux éclairent l'ouverture d'une grande fosse. Les soldats vous poussent, et vous chutez tous les trois quelques mètres plus bas dans une eau verte. Foptitep te lance un cruel sourire avant de quitter avec son escouade.

Dans la flotte jusqu'au cou, tu cherches à grimper à la paroi humide. Mais rien à faire, les pierres sont couvertes de petits champignons gluants. Le visage de Marjorie exprime soudainement de l'inquiétude. Vous vous collez l'un sur l'autre. Derrière vous, deux immenses yeux et deux narines percent la surface...

Profiterez-vous de l'indulgence de la reine... ET DU DIEU BLANC ?

NON...

« J'en connais beaucoup sur l'histoire de l'ancienne Égypte, poursuit-elle, et je peux vous jurer qu'il n'y a jamais eu de princesse appelée... KARINE !

— JAMAIS ? répètes-tu en cherchant à comprendre, toi aussi.

— C'est vrai que ça sonne plutôt bizarre, lui concède son frère. Moi non plus, je n'ai jamais entendu ce nom dans mon cours d'histoire... »

La nuit tombée, la barque royale jette l'ancre dans une baie tranquille, et le repas est servi aux esclaves. Une affreuse gibelotte au poisson pleine d'arêtes. L'odeur infecte atteint tes narines. Tu te demandes si ton estomac va tenir le coup.

Un serviteur arrive et tend, à toi et à tes amis, un joli plat de viande et de légumes cuits accompagnés de figues délicieuses. Le doux parfum de votre potage fait vite le tour de la cale et fait rougir les autres rameurs de jalousie. Vous avalez le tout, en vous demandant pourquoi vous, vous profitez de ce traitement de faveur. Oui, pourquoi vous...

Allez au chapitre 24.

53

C'est l'une des affiches que le shérif a placardées partout en ville : 5000 dollars, mort ou vif, pour le criminel notoire, Jérémy Jackson, et 3000 dollars pour la capture de chacun des membres de sa célèbre bande de voleurs.

Tu observes le portrait bouche bée, car ce Jérémy ressemble comme deux gouttes d'eau... À JEAN-CHRISTOPHE !

« C'EST UNE ERREUR JUDICIAIRE ! essaies-tu de leur faire comprendre. Nous ne sommes pas ceux que vous... »

Trois soldats pointent leur carabine à baïonnette dans ta direction.

« SILENCE ! vous somme le général. Morts ou vifs, pour moi il n'y a aucune différence. Alors, vous ne vous contentez plus de dévaliser les trains, vous partez carrément avec la locomotive et les wagons maintenant. Il est grand temps de payer pour tous vos crimes...

— Que l'on écarte de la vue du général ces fripouilles, ordonne un sous-officier aux soldats. Ils seront pendus demain à l'aube. »

Vous êtes escortés sous bonne garde jusqu'à la ville et enfermés dans la prison au chapitre 82.

54

Tu saisis tout de suite le revolver. Le visage caché par son chapeau poussiéreux, le cow-boy s'éloigne de toi en reculant. Bras écartés et mains ouvertes, il s'arrête à une centaine de mètres. Vous attendez tous les deux le signal. Mais, au fait, ça va être quoi, le signal ? Tu n'oses pas lui demander, de peur qu'il dégaine son arme et te flingue. Des sueurs te coulent sur le front et tu ne peux pas les essuyer avec le revers de la main, pour la même raison. Soudainement, **CRIIIII !** La porte du salon mortuaire s'ouvre. Un homme grand et mince au visage laiteux apparaît. C'est le croque-mort de la ville.

Il arrive vers toi et sort de ses poches un ruban à mesurer. Il le colle à ton pied et remonte le ruban jusqu'à ton front. Il marmonne quelques chiffres avant de disparaître dans son atelier. Déjà, ses coups de marteau se font entendre. Il s'est déjà mis au boulot. Rien de bien encourageant pour toi...

Une mouette quitte le toit d'une maison et sur-vole la rue. Tu la regardes en ne bougeant que les yeux. Elle plane au-dessus du cow-boy et laisse tomber une grosse crotte blanche sur son chapeau. Le cow-boy rougit de colère et tire six coups... VERS L'OISEAU !

Tu pointes ton arme vers le cow-boy au chapitre 20.

55

Avant qu'elle se referme, vous courez vers une grille.

Marjorie trébuche sur un fémur à demi enseveli dans le sable.

« OUCH ET OUACHE ! » fait-elle en apercevant l'os humain.

Tous les deux, vous l'aidez à se relever et vous réussissez juste à temps à vous mettre à l'abri derrière la grille avant qu'elle ne se soit complètement refermée.

Dans l'arène, c'est un vrai carnage qui commence. Vingt gladiateurs armés de petites épées, de filets et de boucliers affrontent une centaine de lions qui sont partout autour d'eux. Vous détournez les yeux, incapables de supporter une telle scène.

Dégoûtés, vous vous engouffrez à l'aveuglette dans les soubassements du Colisée, au chapitre 65.

56

Dans la chambre d'armes des gladiateurs, Jean-Christophe attrape un trident de rétiaire, un casque de mirmillon, une armure de Thrace et un gros bouclier. Même enseveli sous tout ce métal, il ne se sent pas trop en sécurité.

« Elle est pleine de trous, cette armure, se plaint-il. Un lion peut me mordiller le coude, là, te montre-t-il en soulevant son bras. Ou me mastiquer le genou, ici...

— T'as qu'à le repousser avec ton bouclier, lui explique Marjorie, et si ce n'est pas suffisant, arrange-lui le portrait avec ton épée... »

De retour près de l'arène, Marjorie et toi, vous activez le mécanisme d'ouverture de la grille. Tout de suite en entrant, Jean-Christophe doit enjamber deux cadavres déchiquetés par les lions. POUAH ! Son armure est lourde. Il progresse en traînant les pieds vers le centre de l'arène, contournant gladiateurs et lions qui se battent dans un combat sanglant.

Alors qu'il y est presque, un lion terrifiant à la crinière hérissée se place griffes tendues entre lui et ton yo-yo d'aventurier.

Jean-Christophe soulève son épée et frappe au chapitre 70.

57

« C'EST L'USINE DU TEMPS ! en déduit Jean-Christophe. Ce n'est donc pas une légende. Dans l'*Encyclopédie noire de l'épouvante*, un volume tout entier est consacré à cet endroit dans lequel on fabriquait le temps...

— FABRIQUER DU TEMPS ! reprend Marjorie. Vu que nous sommes ici, nous pourrions peut-être nous rajouter quelques dizaines d'années d'espérance de vie ?

— Ce n'est pas comme ça que ça fonctionne, lui explique son frère. Le temps est fabriqué pour tout le monde. À partir de ce moment-ci, la moindre petite chose que nous allons faire dans le passé ou dans le futur pourrait avoir de très graves conséquences. Une simple intervention de notre part pourrait enclencher un séisme de modifications. Ces tremblements du temps peuvent rayer de la carte des cités entières. ALORS, IL NE FAUT RIEN TOUCHER ! »

Tu tournes à nouveau la couronne de la montre. Pour savoir dans quelle partie du temps vous allez être projetés...

... TOURNE LES PAGES DU DESTIN !

Si vous êtes projetés dans le passé, allez au chapitre 2.
Si vous êtes envoyés dans l'avenir, rendez-vous au chapitre 6.

58

Pendant des heures, vous combattez vaillamment aux côtés de vos frères humains. Fumée et poussière recouvrent la moitié de la terre. Soudainement, un calme accablant s'installe et annonce la fin des hostilités. La fumée dissipée, il est maintenant facile de voir quelle espèce est sortie victorieuse...

FIN

59

Jean-Christophe découvre au dernier moment une étroite galerie. Vous vous catapultez tous les trois vers l'embouchure. En marchant à quatre pattes, vous parvenez à vous y engouffrer. Un soldat plutôt grassouillet fonce dans l'entrée de la galerie, mais il reste bloqué dans l'ouverture et empêche les autres d'entrer.

Son chef lui lance des tas de jurons antiques pendant que ses soldats ruisselants de sueur lui tirent les jambes pour essayer de le sortir de là.

Quelques mètres plus loin, une petite ombre s'amène vers toi... C'EST UN SCORPION ! Tu le frappes avec ta torche. C'est bien beau, tu as réussi à t'en débarrasser, mais ta torche s'est éteinte. Devant toi... NOIRCEUR TOTALE ! Tu tâtonnes le sol et les murs comme un aveugle jusqu'à ce que tes mains rencontrent un amoncellement de roches. Il y a eu un éboulis ici, et la galerie est bouchée...

Tu te rends au chapitre 34.

60

Les deux mains accrochées à la grille, la tête entre deux barreaux, vous cherchez sur le sable de l'arène.

Il faut absolument que vous le retrouviez parce que même un simple yo-yo laissé dans une spirale du temps pourrait totalement changer... LE COURS DE L'HISTOIRE !

Si tu réussis à le retrouver, rends-toi au chapitre 88.
Si, par contre, il demeure introuvable, va au chapitre 22.

Le scorpion géant arrive.

Marjorie lui braque sa torche sur le visage. La grosse bestiole coupe la torche en deux, d'un coup de pince précis. **TCHAC !** Jean-Christophe s'interpose à son tour avec la sienne. Il balance sa torche de gauche à droite. Le scorpion frappe avec sa queue. Jean-Christophe s'écarte de la trajectoire du dard mortel, qui va se planter dans le sable, à deux centimètres de son espadrille. Le scorpion fait claquer ses pinces tranchantes et essaie d'attraper ton ami. Jean-Christophe pourra-t-il tenir longtemps devant la fougueuse attaque de cette créature répugnante ?

Tu évalues vite la situation : gouffre insondable, scorpion méchant et... POUTRES DE BOIS AUX PLAFONDS ! Si tu pouvais atteindre une de ces poutres avec ton yo-yo d'aventurier, vous pourriez vous balancer en sécurité de l'autre côté...

Mais avant que tu aies pu mettre la main dans ta poche, ton pied glisse sur le sable et ton corps vacille dangereusement vers la fosse, au chapitre 33.

62

Ton yo-yo manque la cible et arrive en plein sur la tomate du garde-chiourme.

TOC !

« AIE ! hurle-t-il en se réveillant brusquement. Par Osiris, qu'est-ce qui se passe ? Vous avez essayé d'attraper mes clés avec cette arme étrange venue tout droit du Royaume des morts, conclut-il en apercevant le yo-yo dans tes mains. Vous ne semblez pas savoir ce qui attend les esclaves qui tentent de s'évader d'une des barques royales... »

Vous essayez de lui expliquer que vous venez de très loin, du futur en fait, et que vous vous êtes retrouvés ici par accident. Il ne comprend rien à votre histoire ; c'est normal pour un homme qui a passé toute sa vie dans les cales sombres des navires de ne pas avoir... LA NOTION DU TEMPS !

Au petit jour, vous vous remettez à ramer jusqu'à la ville de Thèbes, où habite la famille royale.

« Les trois esclaves sélectionnés par la princesse doivent être lavés et conduits aux quartiers des serviteurs et des esclaves du palais, ordonne un officier de la reine.

— NON ! » objecte le garde-chiourme.

POURQUOI NON ? Allez voir au chapitre 27.

Aussitôt que vous vous jetez dans la spirale, elle se met à tourner plus vite, et vous êtes aspirés. Tu fermes les yeux pour ne pas avoir mal au cœur. Au bout de quelques longues secondes, tu sens qu'elle tourne de moins en moins vite. Puis, finalement, tout s'arrête et, doucement, tes pieds touchent le sol.

Tu voudrais bien garder tes yeux fermés parce que tu as peur, mais **CLAC !** un coup de fouet heurte violemment ta cuisse et te force à les ouvrir.

« OUCH ! hurles-tu. ÇA FAIT MAL...

— ALLEZ, BANDE DE FAINÉANTS ! vous crie un homme accoutré de façon bizarre. Il faut que la grande pyramide soit terminée avant le coucher du soleil. Il faut respecter la dernière volonté du pharaon. Magnez-vous si vous ne voulez pas faire un petit plongeon dans l'étang des crocodiles. »

Vous vous regardez tous les trois...

« Nous avons été projetés en Égypte ancienne, constate Jean-Christophe. Lui, c'est un garde affecté à la surveillance du chantier. Il croit que nous sommes ses esclaves. »

Le garde fait tourner son fouet au-dessus de sa tête et frappe l'espadrille de Jean-Christophe. **CLAC !**

Vous vous rendez au chapitre 86.

64

« Qu'est-ce que c'était, ce bruit ? demande le shérif à son assistant.

— OUPS ! fait l'assistant en sortant de sa poche arrière... LA MONTRE-BRACELET...

— NOOOOOOON ! hurles-tu en apercevant la vitre craquelée.

— Oubliez cette montre, vous dit le shérif en voyant ta mine déconfite. Allez à la bijouterie de la ville. Dites que vous venez de ma part. Le bijoutier vous la remplacera contre une belle montre de gousset en or. C'EST GRATIS ! Pour tous les troubles que nous vous avons occasionnés... »

Vous vous regardez tous les trois en vous demandant si elle fonctionne encore.

Tu n'attends pas une seconde de plus... TU LA REMONTES ! Elle semble fonctionner, car elle te ramène au chapitre 64. OUI ! AU CHAPITRE 64... Parce qu'en fait, elle fonctionne couci-couça et vous ramène toujours au début de ce chapitre, que vous devez revivre... ÉTERNELLEMENT !

FIN

65

Des cris lointains parviennent à vos oreilles. Ce sont sans doute des esclaves emprisonnés qui seront jetés aux lions plus tard.

Tu regardes Jean-Christophe d'un air dépité. Il hoche la tête de droite à gauche en signe de négation.

« Nous ne pouvons rien faire pour ces malheureux, dit-il d'une voix calme. Leur destin est déjà tracé. Les libérer aurait des répercussions catastrophiques sur l'histoire du monde. »

Tu glisses les mains dans tes poches en signe d'impuissance. Tes yeux s'agrandissent de terreur.

« Quoi ? Qu'est-ce qu'il y a ? te demande Marjorie, d'un air inquiet. T'as vu un fantôme ?

— Non ! lui réponds-tu. C'est mon yo-yo d'aventurier, IL EST TOMBÉ DE MA POCHE !

— Probablement lorsque que tu aidais Marjorie à se relever, songe Jean-Christophe. Il faut le retrouver coûte que coûte. »

Vous retournez à la grille au chapitre 60.

66

« Mais nous l'avons, cette foutue montre-bracelet à voyager dans le temps de malheur, lui dis-tu. Je la porte à mon poignet depuis le début...

— QUOI ! se réjouit Jean-Christophe.

— T'AURAIS PAS PU LE DIRE PLUS TÔT, s'emporte Marjorie. S'pèce d'imb...

— CALMEZ-VOUS ! vous supplie Jean-Christophe. Nous avons la montre, c'est ce qui compte.

— Nous allons revenir à la maison, chante Karine en dansant dans la cabine. Nous allons revenir chez nous... »

Faites tous les quatre un cercle, et remonte la montre jusqu'au chapitre 49.

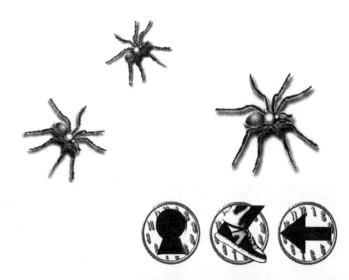

67

Le scorpion continue de vous traquer et gagne du terrain. Pris de panique, tu te jettes dans un couloir, puis dans un autre, sans regarder où tu vas. Marjorie et Jean-Christophe ont de la peine à suivre ton rythme. Tu t'arrêtes net lorsque tu remarques que tu n'as plus le plan de la pyramide en ta possession. Tu l'as échappé quelque part derrière toi. Tu songes quelques secondes à retourner le chercher, mais les petits cris du scorpion te font vite changer d'idée.

HRUUII ! HRUII!

« AU DIABLE CE PLAN ! » t'écries-tu en courant.

Vous traversez comme des malades un autre long passage. Vous devez stopper net lorsque vous arrivez au bord d'un gouffre. Une fumée noirâtre s'en dégage et vous empêche d'en évaluer la profondeur. Impossible de prendre un élan et de sauter de l'autre côté. La poisse, quoi...

Tu te rends au chapitre 61.

Dehors, au milieu de la rue, tu te rappelles tout à coup que tu n'as que ton yo-yo d'aventurier dans les poches ET PAS DE REVOLVER ! Tout près de toi, trois chevaux lourdement chargés sont attachés à un pilier et boivent dans un abreuvoir. Tu fouilles des yeux leur chargement à la recherche d'une arme.

Si tu réussis à trouver un revolver, rends-toi au chapitre 54. Tu pourras te battre en duel en n'ayant pas les mains vides.

Par contre, si tu ne le trouves pas, dégaine ton yo-yo et rends-toi au chapitre 92.

Au comptoir de la bibliothèque, la préposée vous interpelle...

« Je suis désolée les jeunes, vous dit-elle brusquement, mais la bibliothèque ferme dans une minute, vous n'aurez pas le temps de choisir des livres.

— Madame, lui répond Jean-Christophe en passant le tourniquet sans s'arrêter, c'est justement à cause du TEMPS que nous sommes ici. »

Et il file dans la rangée des livres d'histoire.

Vous le suivez en soulevant les épaules devant la dame désemparée. Jean-Christophe saisit un grand livre d'histoire, l'ouvre et pose son doigt sur une page au hasard.

« Lis-moi ce qui est écrit ici ! » t'ordonne-t-il, les yeux fermés.

Tu te penches sur le grand volume...

« Colomb, Christophe, né à Gênes en 1451, lis-tu à voix haute. Tout semble normal...

— Continue ! insiste-t-il...

— En 1492, il traversa l'Atlantique, poursuis-tu. Pour donner un spectacle de musique rap avec son groupe les Karavelles à Miami, en Floride... »

OUPS !

FIN

70

Il frappe la tête du terrifiant lion avec le côté plat de son épée.

CLOC !

Le grand carnivore vacille un peu et tombe dans le sable, assommé.

Les spectateurs veulent la mort du gros félin. Ils pointent tous le pouce vers le sol.

« PAS QUESTION ! se dit Jean-Christophe en reculant. Tuer ce lion pourrait créer un de ces tremblements du temps qui pourrait tout changer à l'histoire. »

La foule le hue. **CHOUUUUUUU !**

Il essaie de se pencher pour prendre le yo-yo, mais il ne peut pas, car l'armure limite ses mouvements. Il réussit tout de même à le ramasser avec le bout de son épée. Le yo-yo en équilibre précaire sur son arme, il revient très lentement vers vous.

Les spectateurs semblent apprécier son petit tour d'adresse et l'applaudissent...

« ILS SONT FOUS ! » vous dit-il à travers la visière de son casque.

Pendant que Marjorie aide son frère à enlever l'armure, tu remontes la couronne de la montre-bracelet afin de retourner au carrefour des SPIRALES DU TEMPS, du chapitre 4.

Quel fin observateur tu es ! Tu attrapes la fourchette et, pendant que Jean-Christophe surveille l'assistant du shérif qui roupille sur sa chaise, tu réussis à forcer la serrure.

Sans faire de bruit, tu ramasses ton yo-yo d'aventurier et la montre-bracelet, et vous sortez de la prison. Dehors, vous devez vous arrêter, car une foule déchaînée vous menace avec des fourches à bêcher, des pelles, des couteaux et même des armes à feu. Ce sont les habitants de la ville ; ils sont venus vous lyncher...

« VOUS ALLEZ PAYER POUR VOS CRIMES ! vous crie une vieille dame à la bouche édentée.

— Madame, l'implores-tu. Tout condamné à mort a droit à une dernière requête.

— C'est une dernière cigarette que tu désires ? te demande-t-elle.

— Non, je veux juste remettre ma montre à la bonne heure, lui réponds-tu. JUSTE ÇA !

— Ta dernière requête est complètement idiote, mais si tel est ton désir, dit-elle, vas-y... »

Tu tournes la couronne du remontoir, et vous disparaissez tous les trois sous les yeux agrandis de terreur de la foule, jusqu'au chapitre 4.

72

Vous empruntez un profond couloir qui vous amène dans les soubassements de la pyramide. La flamme de vos torches s'agite : il y a un courant d'air. Il y a une sortie pas loin. Tu t'arrêtes pour consulter à nouveau le plan.

« À droite, à gauche et encore vers la gauche », leur montres-tu.

Devant vous, une ombre se dessine. Tu tends la torche devant toi.

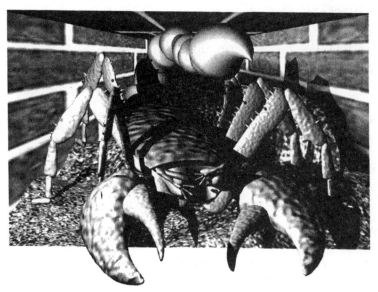

Vous déguerpissez vers le chapitre 67.

« Ces trois-là ! ordonne-t-elle en vous pointant du doigt.

— La princesse Karine a fait son choix », annonce l'intendant royal.

Pendant que les esclaves sont reconduits au chantier, les gardes personnels de la princesse vous escortent à bord de la barque royale, où vous êtes enchaînés dans la cale et forcés à ramer au son régulier d'un tambour.

POUM ! POUM ! POUM !

Le garde-chiourme vous menace continuellement avec son fouet.

CLAC !

« Pourquoi a-t-il fallu qu'elle nous choisisse, NOUS ? s'interroge Jean-Christophe. Il y avait des milliers d'esclaves sur les rives du Nil. Pourquoi nous ?

— Il y a quelque chose qui ne tourne pas rond, réfléchit Marjorie. À l'école, ma matière préférée, c'est l'histoire. Je suis la meilleure, « top niveau », comme on dit. Personne ne peut m'en passer.

— À quoi veux-tu en venir ? » lui demandes-tu en tirant sur la rame.

Allez au chapitre 52.

74

Du sable commence à s'infiltrer par des ouvertures au plafond.

« Les prêtres égyptiens veulent s'assurer qu'aucun voleur ne pille la tombe du pharaon, vous dit Jean-Christophe. Toutes les galeries seront remplies de sable. IL FAUT PARTIR ! »

Vous rebroussez chemin et retournez à l'entrée de la salle mortuaire, où repose le sarcophage du pharaon. Derrière vous, le sable arrive en grosses vagues. Vous faites vite sauter le sceau sacré de la porte, et vous pénétrez dans la grande salle. Aidé de Jean-Christophe, tu bloques la porte avec des amphores pleines d'huile et une grande statue du dieu Horus. Le visage t'allonge lorsque tu aperçois Marjorie qui pousse vers vous un lourd coffre rempli de pièces d'or.

« NOOOOOON ! cries-tu à pleins poumons. IL NE FALLAIT PAS TOUCHER AUX TRÉSORS DU PHARAON... »

Au centre de la salle, le couvercle du sarcophage s'ouvre lentement. **CRIIIII !** Une main enrubannée apparaît. Tu te mets à trembler...

FIN

C'EST PAS BEAU À VOIR ! L'homme est une espèce de mutant, un « homme-ordi » qui n'a pas de bouche et qui transporte un ordinateur. Les différentes composantes de l'ordinateur sont directement connectées à lui par plusieurs fils électriques qui lui traversent la peau. Il s'arrête net devant vous... **CLIC** !

Ses yeux rouges lumineux se mettent à clignoter, et un message apparaît à l'écran : INTRUS ! INTRUS ! INTRUS ! ZONE 75. Trois fois le mot intrus, une fois pour chacun de vous.

Vous cherchez à comprendre ce qui se passe et à quelle époque vous vous trouvez. Autour de vous, des dizaines de machines combinées à des humains s'amènent. Vous essayez de reculer, mais une pelle hydraulique vous barre la route. Dans la cabine de conduite, vous remarquez un grand bocal dans lequel flotte une tête d'homme branchée au tableau de bord par un filage complexe. Trois mobylettes tournent autour de vous en vrombissant. Sur chacune d'elles sont attachées, vissées et reliées par une tuyauterie élaborée... DES PERSONNES !

Capturés par ces mutants biomécaniques, vous êtes reconduits dans l'usine d'assemblage principale de LA PLANÈTE DES MACHINES...

... au chapitre 85.

Tu poses le pied sur le tronc plutôt mince de l'arbre. Marjorie, qui a le vertige, débite des tas de bêtises tout bas, mais finit par te suivre. Allez-vous réussir à traverser sans tomber ?

Pour le savoir, rappelle-toi le numéro de ce chapitre, ferme ton Passepeur et pose-le debout dans ta main.

Si tu réussis à faire trois pas devant toi en tenant le livre en équilibre sans qu'il tombe, eh bien bravo, vous avez réussi à atteindre l'autre côté de la crevasse, au chapitre 29.

Si par contre, le livre tombe avant que tu aies fait trois pas, vous chutez tous au chapitre 89.

77

Vous voici au bout de la galerie qui, comme tant d'autres, n'est qu'une impasse. Vous remarquez le cadavre d'un ouvrier appuyé sur le mur. Sans doute qu'il s'était perdu, lui aussi. Pas très encourageant...

Une flûte en terre cuite peinte d'une belle couleur turquoise pend de sa bouche. Tu réfléchis quelques secondes...

« CETTE FLÛTE ! cries-tu à tes amis en arrachant le petit instrument de musique des lèvres durcies du cadavre. ELLE EST PEUT-ÊTRE LA CLÉ... »

Dégoûté, tu la portes à ta bouche et tu en tires quelques notes. Un immense bloc de granit s'écarte pour vous ouvrir la voie.

BRRRRRRRRR !

« OUAIS ! BIEN JOUÉ ! » s'exclame Marjorie.

Dehors, le soleil vous aveugle. Vous retournez discrètement d'où vous êtes arrivés, là où le portail du temps s'est ouvert.

Arrivés à l'endroit exact, vous remontez la montre-bracelet et retournez au carrefour des SPIRALES DU TEMPS, au chapitre 4.

78

La porte est si lourde que vous devez vous y mettre tous les trois pour la faire pivoter sur ses gonds. Elle est drôlement solide. Elle doit certainement leur servir à se protéger, mais la question est : Pour se protéger de quoi ?

Entre le chœur et le portail de l'église sont rassemblés une centaine de fidèles. Ils sont comme vous, humains, sans aucune déformation physique. En fait, ils n'ont pas un seul bouton au visage.

Un petit garçon t'aperçoit. Il tire les vêtements de sa mère et te pointe du doigt. Elle se retourne...

« LE MESSAGER ! se met-elle à crier en t'apercevant. LE MESSAGER EST ARRIVÉ... »

Tous les fidèles vous entourent et se prosternent à vos pieds. Jean-Christophe et Marjorie se sentent très embarrassés. Toi, tu n'as jamais été aussi mal à l'aise de ta vie. Les fidèles cèdent le passage à un vieil homme qui s'approche de toi. Il porte une soutane orange.

« Nous vous attendions, te dit-il d'une voix accueillante. Je vois que vous possédez l'objet sacré ? »

De quel objet sacré veut-il bien parler ? Allez au chapitre 13.

79

Les roues d'acier grincent sur les rails lorsque le train monte une haute montagne. Tout à fait en haut, la montagne vous offre une vue imprenable. Vous en profitez pour surveiller la route devant vous...

Rendez-vous au chapitre 30.

CLAC ! ton yo-yo atteint le grand cannibale en plein sur la gueule...

Il vacille et finit par s'écrouler sur le sol avec toute sa panoplie d'ossements humains.

BROOUM ! CLIC ! CLAC ! CLIC !

Tu rattrapes ton yo-yo. **SSSSHHHHHHHHPP !**

« BIEN FAIT POUR LUI ! craches-tu devant les autres qui, apeurés, commencent à s'éloigner. AU SUIVANT DE CES MESSIEURS ! Qui possède le billet numéro 2 ? demandes-tu, prêt à faire face au suivant. Le numéro 2 est prié de se présenter au comptoir des coups et taloches pour une expédition rapide au pays des songes... »

Tu pointes ton yo-yo vers un homme préhistorique hystérique qui laisse tomber sa lance et s'enfuit à toutes jambes. Sous les regards apeurés des autres, tu lances ton yo-yo vers le sol et tu le fais remonter rapidement. **SSSHHHHP !** Tu exécutes ensuite quelques impressionnantes figures : la balançoire, la promenade du chien et le tour du monde. Terrorisés, ils laissent tous tomber leurs armes et déguerpissent.

« TERMINÉ, LE SPECTACLE ! » te crie Jean-Christophe en te tirant par le bras...

... jusqu'au chapitre 25.

Vous progressez lentement d'une galerie à l'autre. Tu remarques que de la lumière s'infiltre par une fissure entre deux pierres, à ta gauche. On dirait que vous touchez au but.

« Oui ! fais-tu, lorsque vous arrivez à l'entrée de la pyramide. Comme j'espérais. »

Foptitep stoppe net et fixe la sortie d'une mine déconfite.

« VOUS M'AVEZ BERNÉ ! s'exclame-t-il, soudainement fou de rage. Personne ne se paie la tête de Foptitep. »

Il soulève son épée pour trancher la tienne...

Un contremaître intervient inopinément.

« NON ! hurle-t-il en retenant son bras. Tous les esclaves doivent se rendre au port du Nil : ordre de la Reine. La barque royale va accoster dans quelques minutes pour permettre à la princesse de choisir ses esclaves personnels. »

Attachés l'un à l'autre, vous marchez dans le sable chaud jusqu'au quai. Vous vous prosternez tous les trois avec les autres esclaves. La jeune et belle princesse descend de la passerelle et... S'ARRÊTE DEVANT VOUS !

Allez au chapitre 73.

82

Étendu sur la couchette crasseuse d'une cellule, tu lis les graffitis écrits sur les murs jusqu'à ce que tu tombes sur celui qui parle d'une fourchette cachée dans la cellule. Avec cet ustensile, tu pourrais forcer la serrure de la porte. Tu la cherches partout.

Observe cette image. Si tu réussis à trouver la fourchette, rends-toi au chapitre 71. Par contre, si tu ne la vois nulle part, va au chapitre 101.

En fouillant tous les fichiers de l'ordinateur, vous réussissez à trouver ce virus ML-5. Il se trouve dans l'un des fichiers d'archives. Aujourd'hui, il est totalement inoffensif pour l'ordinateur, mais, implanté dans n'importe quel ordi quelques jours avant l'an 2000, il aurait complètement exterminé le bogue de tous les ordinateurs de la terre.

Vous décidez alors de mettre le virus sur une disquette et de retourner dans le passé pour l'implanter dans un ordinateur. Un seul ordinateur suffira, n'importe quel. Pour cela, il va vous falloir... UNE DISQUETTE !

Tu regardes tes amis...

« Ne me dévisage pas comme cela, te lance Marjorie. Tu crois que je traîne dans ma poche une disquette au cas où le monde serait sous la menace d'ordinateurs fous qui voudraient conquérir le monde ? »

Jean-Christophe met les mains dans ses poches et soulève les épaules.

Vous vous mettez à fouiller la salle de fond en comble, à la recherche d'une disquette au chapitre 104.

84

Le cow-boy te regarde d'une façon très cruelle. Impossible d'éviter le duel. Très lentement, tu glisses la main dans ta poche pour en ressortir tout aussi lentement ton yo-yo d'aventurier. Le cow-boy sourit à la vue de ton ridicule jouet.

SUFFIT LES CONNERIES ! Il dégaine lui aussi son colt. Tu lances très vite ton yo-yo en direction du réservoir d'eau. Le yo-yo frappe et brise le robinet. L'eau pisse sur la tête du cow-boy.

GLOUGLOUGLOU !

Tu rattrapes ton yo-yo.

Mouillé de la tête aux pieds, le cow-boy entre dans une colère noire. Il tend son bras, pointe son colt dans ta direction et appuie sur la gâchette.

PAN !

La balle siffle !

Tu gardes ton sang-froid et tu lances une seconde fois ton yo-yo en direction de la balle. Vas-tu réussir à l'atteindre ? Pour le savoir...

... TOURNE LES PAGES DU DESTIN et vise bien.

Si tu parviens à atteindre la balle, SUPER ! Va au chapitre 103.

Par contre, si tu l'as ratée, va voir ce qui t'arrive au chapitre 28.

85

Le camion à ordures vous décharge à l'entrée des marchandises de l'usine, et vous êtes immédiatement enfermés dans une pièce remplie d'écrans.

« À quelle époque sommes-nous ? s'interroge Marjorie, un peu troublée. Ce n'est pas possible toutes ces horreurs.

— Y a pas de doute que nous sommes dans le futur, en déduit Jean-Christophe. Les hommes sont devenus les esclaves des machines et des ordinateurs qui dominent le monde.

— Ils vont faire la même chose avec nous, affirme Marjorie, tout affolée. FAITES QUELQUE CHOSE ! »

Tu t'approches d'un clavier placé sous l'un des écrans. Tu pianotes sur quelques touches, et la date apparaît : 2004.

« NON ! te mets-tu à hurler. Ce n'est pas possible qu'en si peu de temps, la terre tout entière tombe sous l'emprise de machines créées par l'homme. »

Tu pitonnes à nouveau sur le clavier pour en savoir plus. L'histoire dit que la révolution des machines a commencé le 1er janvier 2000, le jour où le supposé bogue de l'an 2000 devait se manifester... MAIS NE L'A PAS FAIT !

Rends-toi au chapitre 37.

« OUCH ! OUCH ! crie Jean-Christophe en dansant sur une jambe.

— VOUS ALLEZ VOUS GROUILLER ! hurle le garde, rouge d'impatience. Ce dernier bloc de pierre ne montera pas tout seul en haut de la pyramide. »

Pour éviter d'autres coups de fouet, vous poussez tous les trois le bloc de calcaire sur la rampe de sable. La chaleur est insoutenable, et les rayons du soleil brûlent ta peau. Marjorie, qui souffre d'asthme, ne tiendra pas très longtemps dans cette fournaise. Quelques mètres plus haut, tu aperçois l'entrée de la pyramide.

« Nous avons peut-être une chance de nous enfuir, chuchotes-tu à tes amis en leur montrant l'entrée d'un signe de tête.

— C'est un vrai labyrinthe là-dedans, te signale Marjorie, qui n'est pas très enthousiaste à cette idée.

— Sur le tableau de la classe d'histoire, il y avait un plan de cette pyramide, lui expliques-tu. Je ne me rappelle peut-être pas de tous les passages, mais c'est toujours mieux que de rester près de ce fou au fouet. »

Vous vous élancez vers l'entrée de la pyramide, au chapitre 18.

Sur le dos, au fond de la fosse, tu aperçois des dizaines de petits scorpions affamés qui... AVANCENT VERS VOUS !

Ce n'est donc pas le temps ni l'endroit pour te plaindre de ton mal. Tu te relèves subito et tu recules avec tes amis vers la paroi opposée. Tu remarques juste là que la corde du yo-yo n'est plus attachée à ton doigt. C'est super, mais vous devez sortir d'ici au plus vite.

Tu fais la courte échelle à Marjorie et ensuite à Jean-Christophe, qui te tend la main pour te hisser hors de la fosse. Marjorie fait une grimace au scorpion, de l'autre côté. Le scorpion frappe de rage les parois de la galerie. Alors que vous vous retournez pour poursuivre votre route, vous arrivez nez à nez avec... LE PAPA SCORPION !

Il faut dire que là... VOUS VOUS ÊTES FAIT PINCER...

FIN

99

« IL EST LÀ ! cries-tu à tes amis en le pointant du doigt. LÀ ! LÀ! »

Oui, vous l'avez retrouvé. Mais il se trouve en plein centre de l'arène où les gladiateurs et les lions s'affrontent.

« Qu'est-ce qu'on fait ? » demande Marjorie.

Jean-Christophe se gratte la tête.

« Il faudrait être équipés d'une armure pour espérer le récupérer, pense-t-il. Sans armure, oubliez cela...

— Je sais, moi, où trouver tout ce qu'il nous faut, t'exclames-tu fièrement : dans les quartiers des gladiateurs ! Je sais où ça se trouve. Je me souviens très bien, parce que j'ai visité le Colisée avec mes parents pendant nos vacances, l'année passée. Oui, l'année passée, euh ! qui se trouve dans le futur, enfin, vous savez ce que je veux dire...

— Non, mais ça n'a aucune espèce d'importance, t'avoue Marjorie. Du moment que tu peux nous conduire jusque là. »

Vous pénétrez encore plus profondément sous le Colisée, jusqu'au chapitre 56.

OH NON ! Le tronc roule sur lui-même et vous tombez tous les trois une centaine de mètres plus bas dans une rivière agitée.

TRIPLE SPLOUCH !

Vous nagez très vite vers la rive, car des poissons carnivores et poilus vous poursuivent. Quelle époque de fous ! Vous réussissez à gagner la berge juste à temps. Debout, tout trempés, vous évaluez les dégâts. Quelques égratignures, mais rien de bien dramatique, sauf que maintenant, la montre-bracelet a pris l'eau et... NE FONCTIONNE PLUS !

Tu essaies et tu essaies de la remonter... RIEN À FAIRE ! Le mécanisme est déjà figé dans la rouille...

Vous êtes condamnés tous les trois à passer le reste de votre vie ici et à vivre à la façon des hommes préhistoriques. Une grotte comme logis, habillés de peaux d'animaux, vous essayez comme vous pouvez de vous adapter et de survivre dans ce monde hostile en vous nourrissant de viande de mammouth et de fruits gigantesques.

C'est difficile d'accepter ce triste destin lorsqu'on pense que tout cela est arrivé à cause d'une gaffe que tu vas faire dans 42 000 ans, dans une certaine boutique de brocante...

FIN

« Lorsque je dis qu'il faut avoir un plan, je ne veux pas dire ce genre de plan-là, essaie de lui expliquer Jean-Christophe. Ce plan-là n'est pas le genre de plan dont je parle. Là, tu comprends ?

— C'est aussi clair que ce plan... » lui répond Marjorie en accrochant le casque d'écoute de son baladeur à ses oreilles pour ne plus rien entendre.

Avec Jean-Christophe, tu te mets à l'analyser. Marjorie y jette aussi un coup d'œil, par-dessus ton épaule.

« Des yeux, quelques faucons, des signes étranges, quelques scarabées, essaie-t-elle de comprendre. C'est inutile, je ne saisis rien... C'EST DU CHINOIS POUR MOI !

— Tu veux que se soit ta CARCASSE MOMI-FIÉE que les archéologues découvrent dans 5000 ans au fond de cette pyramide ? lui dit son frère en soulevant un de ses écouteurs. NON ! Alors, aide-nous. Sur ce plan, il y a les indications pour se rendre à la sortie ; il s'agit de comprendre un peu.

— J'me rappelle avoir lu quelque part dans l'*Encyclopédie noire de l'épouvante*, leur racontes-tu, que les scarabées pouvaient entrer et sortir des pyramides à leur guise. C'est comme s'ils connaissaient les dédales du labyrinthe. Les prêtres qui quelquefois s'y perdaient suivaient ces insectes, qui souvent les conduisaient jusqu'à la sortie. »

Examine le plan. Il est au chapitre 44.

Lorsque vous êtes rendus tous les trois de l'autre côté de la fosse, tu décroches ton yo-yo d'un geste sec de la main et tu le ramènes en le faisant tourner sur son axe. **CRHHHHHHHHH !** Tu l'embrasses avant de le remettre dans ta poche parce qu'il vient de vous sauver la vie...

Sans torche pour vous éclairer, vous avancez lentement en tâtonnant les murs. Tout en haut d'un escalier, la lumière du soleil réussit à s'infiltrer entre les pierres de la pyramide et illumine faiblement une autre longue et étroite galerie.

« J'crois que nous brûlons, conclut Jean-Christophe. La sortie n'est pas très loin. Il n'y a qu'un seul mur de pierres entre nous et l'extérieur. »

Alors que tu t'approches du mur pour jeter un œil entre deux dalles, une vipère glisse dans le joint et pénètre dans la pyramide. Vous vous écartez vite de son chemin.

« Après vous, madame ! lance Marjorie, accrochée à son frère en regardant le serpent venimeux descendre l'escalier.

— TU VAS M'ARRACHER LE BRAS ! se plaint Jean-Christophe. Tu peux me lâcher, maintenant que la méchante bébête est partie. »

Vous marchez d'un pas rapide jusqu'au chapitre 77.

Le cow-boy te regarde d'une façon cruelle. Tu te dis que même armé de ton simple yo-yo d'aventurier, tu aurais peut-être une chance de sortir vivant de ce duel.

Examine attentivement cette illustration et rends-toi ensuite au chapitre correspondant à l'endroit où tu veux lancer ton yo-yo.

Vous ouvrez lentement celle de gauche. De l'autre côté s'étend à perte de vue une forêt dense. Au loin, la fumée noirâtre d'un volcan en éruption flotte au-dessus d'une grande vallée parsemée de lacs bleus.

Vous n'avez pas le temps de regarder ce qui se trouvait derrière l'autre porte que celle-ci disparaît ainsi que l'antichambre. Il semblerait bien que vous l'ayez choisie malgré vous.

Vous marchez longtemps dans cette forêt humide. Des cris d'animaux parviennent à vos oreilles. Vous n'avez jamais entendu pareils hurlements, même dans des reportages télévisés sur la faune. Plus loin, vous découvrez des traces de pas. Des pas d'hommes un peu grands, mais des pas d'hommes quand même. Vous les suivez jusqu'à ce que vous arriviez dans le territoire de chasse d'hommes très poilus, habillés de peaux de tigre. Ils chargent dans votre direction. VONT-ILS VOUS ATTRAPER ? Pour le savoir...

... TOURNE LES PAGES DU DESTIN !

S'ils réussissent à vous capturer, rendez-vous au chapitre 12.

Par contre, si vous parvenez à vous échapper, allez au chapitre 35.

94

Devant vos yeux agrandis de stupeur s'étend une ville fantôme détruite par une bombe ou un cataclysme. La plupart des grands édifices sont à demi effondrés. Quelques-uns ont littéralement été scindés en deux. La végétation pousse partout.

Allez au chapitre 15.

« Je tourne la couronne de la montre-bracelet, et nous voilà repartis dans un autre voyage à travers le temps, leur proposes-tu. Finis nos problèmes ici...

— Oui, mais tu as oublié tous ces gens dans le train, te fait-il remarquer. J'ai compté quatre wagons et 60 passagers par wagon, se met-il à calculer. Ça fait donc environ 240 personnes. La vie de tous ces gens est entre nos mains, explique-t-il. Nous allons conduire nous-mêmes ce train jusqu'à la prochaine ville du Far West. Une fois tout ce beau monde en sécurité, tu activeras la montre-bracelet.

— Sauver tous ces gens n'est pas une mince affaire, essaies-tu de lui faire comprendre. Et puis, tu sais conduire un train toi ?

— Ça doit pas être bien difficile, réfléchit-il en regardant tous les cadrans.

— C'EST « FAFA » ! sourit Marjorie. Nous n'avons qu'à suivre les rails... »

Vous lui décochez un sourire idiot et vous partez vers le chapitre 79.

Juste devant cette église, qui semble être la seule construction à avoir été épargnée, vous trouvez une grande statue qui te ressemble étrangement. Marjorie ne cesse de te regarder et d'examiner la sculpture.

« J'SUIS PAS À VENDRE ! » lui craches-tu, mal à l'aise.

À l'intérieur, les chants se poursuivent. Vous collez tous les trois l'oreille sur la porte. Les fidèles de cette église louangent plusieurs fois... TON NOM !

Vous vous regardez tous les trois en vous demandant si c'était vraiment une bonne idée. Après tout, cette église pourrait être la demeure d'humains horriblement mutilés par des radiations atomiques ou quelque chose du genre. Des mutants dangereux et pas beaux à voir, quoi...

C'est peut-être risqué, mais c'est la seule façon de savoir ce qui s'est passé ici... TU POSES LA MAIN SUR LA GROSSE POIGNÉE EN BRONZE !

Est-ce que la porte est verrouillée ? Pour le savoir...

... TOURNE LES PAGES DU DESTIN !

Si elle n'est pas verrouillée, entre dans l'église par le chapitre 78.

Si, par contre, elle l'est, rends-toi au chapitre 45.

« UUUHROOO ! » crie-t-il en dansant sur une jambe.

Tu ne sais pas ce que veut dire UUUHROOO ! mais c'est probablement OUILLE ! dans le langage des Indiens.

Il avance vers toi, rouge de colère. Et une peau rouge, rouge de colère, ce n'est pas beau à voir. Il dégaine un long couteau. Tu te dis que ça y est. Il va te faire une coupe à la mode... À LA MODE INDIENNE ! Il aperçoit la montre-bracelet briller à ton poignet. Il te l'arrache sauvagement et se met à la tripoter. Tu te dis pour toi-même « OH NON ! », et avec raison, car ce qui devait arriver arrive... Le chef tourne la couronne de la montre. Il disparaît sous les regards horrifiés de la tribu et réapparaît quelques secondes plus tard habillé d'un scaphandre illuminé armé d'un « pistolaser ». Vous vous regardez tous les trois et comprenez que le chef vient de faire un petit voyage dans le temps et revient... DU FUTUR !

Inconscient du pouvoir désintégrateur du « pistolaser », il pointe dangereusement l'arme dans votre direction et appuie sur la gâchette.

ZIIIOOUUMM !

FIN

98

Dehors, les balles sifflent...

TSIIIIIIIII ! TSIIIOU !

Le train à vapeur augmente sa vitesse, mais il ne parvient pas à s'éloigner de la bande de voleurs sanguinaires. Une balle fracasse tout à coup un hublot.

CRAAAAC !

« LE COFFRE-FORT ! hurle Marjorie en apercevant la grosse boîte noire aux solides pentures dorées. Ils en ont après le contenu de ce coffre-fort !

— Il doit être bourré de lingots d'or et de billets de banque, conclut Jean-Christophe.

— Dans ce cas, il faut le jeter hors du train, t'exclames-tu d'un seul trait. De cette façon, ils seront obligés de nous foutre la paix s'ils veulent ramasser leur butin. »

BONNE IDÉE !

Jean-Christophe s'élance vers la grande porte coulissante. Si elle est verrouillée, vous ne pourrez pas mettre votre plan à exécution. L'est-elle ? Pour le savoir...

... TOURNE LES PAGES DU DESTIN !

Si elle ne l'est pas, ouvrez-la au chapitre 16.
Si, par malheur, elle est verrouillée, allez au chapitre 47.

Tu fixes intensément l'arme du cow-boy et tu lances de toutes tes forces ton yo-yo. Vif, le cow-boy dégaine son colt et pulvérise ton yo-yo d'une seule balle. **BANG !**

Tu fermes les yeux, car tu sais que ça va être ton tour. Le cow-boy s'amène vers toi et te dépouille de ton argent de poche, de tes espadrilles... ET DE TA MONTRE ! Il porte la montre à son oreille et constate qu'elle ne fait pas tic-tac.

« Quelle drôle d'idée de trimballer une montre brisée », crache-t-il avant de se mettre à la secouer.

Tu voudrais bien l'avertir que c'est dangereux de faire ça avec cette montre-là, mais avant que tu puisses ouvrir la bouche, **ZIIOOOUMM !** Il disparaît...

Il revient toutefois quelques secondes plus tard, camouflé sous une lourde armure de chevalier, armé d'une massue d'homme préhistorique dans une main et d'une mitraillette dans l'autre.

« Lors de mon petit voyage, te dit-il sous l'armet de son armure, j'ai pu faire des emplettes... J'AVAIS LE TEMPS ! »

BRAVO ! Grâce à toi, ce petit bandit sans importance deviendra le plus grand criminel de tous les temps...

FIN

Après plusieurs minutes de marche, vous sentez qu'il y a quelque chose qui cloche, car les soldats semblent agités et nerveux. Ils discutent à voix basse entre eux et semblent chercher de tous les côtés.

« Je crois qu'ils sont perdus, te murmure Jean-Christophe à l'oreille. Cette pyramide est pleine de galeries et de couloirs. C'est un labyrinthe à toute épreuve. Les pyramides sont construites de cette façon pour que les pilleurs de tombes s'y perdent à tout jamais. »

Entourés des autres soldats, vous suivez Foptitep qui, d'un pas décidé, emprunte un autre passage. Puis un autre, et encore un autre.

« ON TOURNE EN ROND, CHEF ! lui crie soudainement un de ses soldats. Cette fresque de hiéroglyphes et de symboles peints sur le mur, je la reconnais, nous sommes passés ici tantôt... À DEUX REPRISES !

— Ces textes peuvent peut-être nous indiquer la route à suivre, poursuit un deuxième soldat. Vous savez lire, chef ?

— JE NE SUIS PAS UN SCRIBE ! se met-il à hurler. JE SUIS UN SOLDAT ! »

Une idée te vient en tête lorsque tu pars vers le chapitre 43.

Vous cherchez pendant des heures. Impossible de trouver cette foutue fourchette. Le soleil va bientôt se lever. Si au moins ce shérif de malheur ne vous avait pas dépouillés de vos effets personnels ! Tu aurais pu activer la montre-bracelet et retourner au carrefour des SPIRALES DU TEMPS.

Dehors, des bruits de sabots résonnent dans la nuit.

« OH NON ! dit Marjorie d'une voix atone. Les gens de la ville se sont révoltés et sont venus nous lyncher. »

Tu te hisses à la fenêtre et aperçois dehors Jérémy Jackson et toute sa bande. Il est venu te proposer un étrange marché.

« J'ai besoin de jeunes recrues, te dit-il en crachant un gros glaviot par terre. Si vous acceptez de faire partie de ma bande, je vous libère... »

Si tu acceptes, rends-toi au chapitre 17.

Si tu ne veux rien savoir de ce bandit, va au chapitre 19.

« Il y a un tronc d'arbre sur les rails, dis-tu à tes amis. C'est une embuscade des Indiens. Ils détestent les trains parce qu'ils font fuir les hordes de bisons. Ce sont de grands chevaux d'acier qui courent dans la prairie, comme ils l'appellent. »

Vous cherchez vite une solution. Foncer à toute vitesse sur le gros arbre ? Pas question ! Vous risqueriez de dérailler.

Au loin, Jean-Christophe aperçoit un long nuage de poussière. C'est un régiment de cavalerie. SUPER ! Mais comment les avertir que vous êtes sur le point de vous faire scalper par des Sioux aux peintures de guerre ?

Marjorie aperçoit la corde du sifflet à vapeur de la locomotive. Elle tire et ne lâche pas la corde. **OOOOOOOUUUUUUUUUUUU !**

Le régiment change de direction et vous intercepte à un kilomètre avant le tronc d'arbre. Tu te remets à respirer normalement jusqu'à ce que le général George Croustad vous mette tous les trois en état d'arrestation. Tu cherches à comprendre ce qui se passe.

Un sous-officier déroule sous vos yeux une affiche, au chapitre 53.

Ton yo-yo d'aventurier frappe de plein fouet la balle du colt. Le projectile dévie et va briser l'une des vitres de l'hôtel, **CRING** ! Abasourdi, le cow-boy te regarde et vide ensuite son chargeur. Vif comme l'éclair, tu refais cinq fois le même geste et réussis à faire dévier les balles qui sifflent de partout.

Tu rattrapes ton yo-yo et tout redevient silencieux. C'est au tour du cow-boy de trembler de peur. Tu lances une autre fois ton yo-yo dans sa direction. Le cow-boy met ses deux mains devant ses yeux. Ton yo-yo frappe la boucle de sa ceinture **CLING** ! Son pantalon glisse sur ses jambes, et le cow-boy, humilié, disparaît au bout de la rue sous les rires des gens de la ville surgissant de partout. Tu souffles sur ton yo-yo avant de le remettre dans ta poche, comme les vrais cow-boys font avec leur arme après un duel... GAGNÉ ! Arrive en courant Marjorie...

« Je ne savais pas que tu pouvais faire cela, te dit-elle, impressionnée.

— Moi non plus ! » lui réponds-tu en souriant.

Sans le savoir, tu as débarrassé la ville du très redouté bandit Jérémy Jackson.

Comme marque d'appréciation, le forgeron, un homme très habile de ses mains, réussit à réparer la montre-bracelet. Vous repartez vers le chapitre 4.

Une salle pleine d'ordis, et pas une seule disquette comme celle-ci ? IMPOSSIBLE ! Cherche bien, il y en a une, c'est certain...

Si tu réussis à la trouver, rends-toi au chapitre 50.
Si, par contre, tu ne la trouves nulle part, va au chapitre 9.

« Il ne faut pas se décourager, vous dit Jean-Christophe. Dans cette ville, il y a certainement un bricoleur qui pourra nous aider. »

Sur le fronton de l'édifice en bois, de l'autre côté de la rue, est écrit « Saloon ». Vous vous dirigez dans cette direction. Marjorie pousse les deux petites portes battantes qui s'ouvrent en grinçant de façon sinistre. Autour d'une table ronde, ripaillent quelques cow-boys enivrés de whisky. Derrière son comptoir, le barman vous regarde, tout hébété. Est-ce vos vêtements bizarres qui le mettent dans cet état ou est-ce le fait que ce tripot ne reçoive pas souvent la visite d'aussi jeunes gens ?

« Tiens, tiens, se met à rire l'un des cow-boys. HA ! HA ! Le cirque est arrivé en ville. Vous êtes dresseurs de lions ? Vous faites, HIC ! partie de la troupe de clowns... HA ! HAAA !

— Sachez que nous sommes la bande des Téméraires de l'horreur, lui réponds-tu d'une façon plutôt insolante. Nous venons du futur et nous...

— DU FUTUR ! t'interrompt le cow-boy. Je ne connais aucune ville nommée Futur. Et puis cette ville-ci est trop petite pour nos DEUX BANDES... »

Sous la menace de son colt argenté, il te pousse à l'extérieur, au chapitre 68, pour te provoquer en duel...

« Oui, d'accord, mais avec quel argent ? te demande Marjorie.

— AVEC ÇA ! lui montres-tu en soulevant le bras de Karine sous les yeux du brocanteur. Des bracelets d'or ornés de lapis-lazulis et de turquoises. Ces trésors contre... VOTRE TRÉSOR... »

Le brocanteur examine avec sa vieille loupe les bijoux sous une lampe. Ses yeux s'illuminent devant la beauté des pierres précieuses.

« C'est un marché conclu si vous y ajoutez ce vieux marteau rouillé, précises-tu. La montre-bracelet et le marteau contre ces bijoux.

— TOPE LÀ ! fait le brocanteur en te serrant la main.

— Pourquoi achètes-tu aussi ce marteau rouillé ? te demande Marjorie. Je ne comprends pas.

— Parce que, vois-tu, lui expliques-tu en frappant la montre avec le marteau, **CRING !** de cette façon, **CRING !** je suis persuadé que cette montre à voyager dans le temps ne causera jamais plus de problèmes à personne.

CRING ! CRING ! CRING !

FÉLICITATIONS !
Tu as réussi à terminer...
C'est arrivé... DEMAIN !

ATTENTION !
CE QUIZ NE S'ADRESSE PAS À CEUX QUI ONT PEUR DE LEUR OMBRE...

Les films d'horreur ne te font pas trembler de frayeur... Tu penses tout connaître sur les châteaux hantés, les vampires et autres monstres qui ne sortent que la nuit venue... Eh bien, enferme-toi dans ta chambre, baisse la lumière et réponds au...

Interdiction formelle de chercher les réponses dans l'*Encyclopédie noire de l'épouvante* de ton école. Une fois le quiz terminé, tu pourras toi-même corriger tes réponses et calculer ton pointage. Selon la note que tu auras obtenue, tu pourras, et seulement là, savoir si tu fais vraiment partie de la guilde des Téméraires de l'horreur...

C'EST PARTI !

1) Pour combattre des vampires, il est utile d'avoir :
- [ ] a) Une croix
- [ ] b) De l'eau bénite
- [ ] c) Un pieux et un marteau
- [ ] d) Un miroir
- [ ] e) Toutes ces réponses

2) Quelle différence y a-t-il entre un zombie et un mort vivant ?
- [ ] a) L'état de décomposition
- [ ] b) L'odeur
- [ ] c) Aucune

3) On peut arriver face à face avec un loup-garou :
- [ ] a) Les soirs de pleine lune
- [ ] b) À la tombée de la nuit
- [ ] c) Les vendredis 13
- [ ] d) Après avoir fait ses devoirs et ses leçons
- [ ] e) Lorsqu'il y a du brouillard

4) Pour se transformer en loup-garou, il faut :
- [ ] a) Avoir été blessé par un loup-garou
- [ ] b) Avoir l'autorisation de ses parents
- [ ] c) Porter une bague en argent
- [ ] d) Passer une nuit complète dans les bois

5) Tu es seul(e) dans un cimetière et tu entends des chuchotements inquiétants :

☐ a) Tu fous le camp au plus vite
☐ b) Tu cherches à savoir d'où ça vient
☐ c) Tu te caches et tu te croises les doigts en espérant que ça cesse

6) Sur la rue qui conduit à l'école, il y a une vieille maison « supposément »... HANTÉE !

☐ a) Tu te fais reconduire à l'école par tes parents
☐ b) Tu demandes à tes amis de t'accompagner
☐ c) Tu te promènes toujours avec une lourde bible dans ton sac à dos
☐ d) Tu lâches l'école et tu deviens clochard
☐ e) Tu enquêtes pour en avoir le cœur net

7) Un croque-mort, c'est :

☐ a) Une personne chargée du transport des morts
☐ b) Un sandwich froid à la viande
☐ c) Quelqu'un qui se nourrit de cadavres

8) Lorsque tu vois du sang :

☐ a) Tu tombes dans les pommes
☐ b) Tu vas chercher une trousse de premiers soins
☐ c) Tes canines s'allongent dans ta bouche

9) À chaque soir, avant de te coucher :
☐ a) Tu regardes sous ton lit
☐ b) Tu places une chaise devant ta garde-robe
☐ c) Tu te brosses les dents

10) On appelle « médium » :
☐ a) Une revenante inoffensive
☐ b) Une pizza de grandeur moyenne
☐ c) Une femme qui peut parler aux esprits

11) On peut dire qu'une maison est hantée lorsque :
☐ a) Les horloges sonnent treize coups
☐ b) Des bruits surviennent sans raison, à la
     même heure
☐ c) La télé s'allume toute seule
☐ d) Des traces de pas apparaissent comme ça,
     sans raison
☐ e) Toutes ces réponses

12) Le soir de l'Halloween :
☐ a) Tu arrêtes tous les enfants costumés pour
     vérifier s'ils ne seraient pas de vrais monstres
☐ b) Tu te déguises et tu ramasses toi aussi des
     friandises
☐ c) Tu donnes des bonbons aux enfants costumés
     qui se présentent chez toi
☐ d) Tu t'installes dans un endroit startégique afin
     de surveiller que tout se déroule normalement
     dans ton quartier

Voici les réponses du test. Tu peux t'attribuer cinq (5) points pour chaque bonne réponse. À la fin, fais un cumulatif de ton pointage. À la section suivante, tu trouveras une appréciation de ton pointage.

1) E ☐
2) C ☐
3) A ☐
4) A ☐
5) B ☐
6) E ☐
7) A ☐
8) B ☐
9) C ☐
10) C ☐
11) E ☐
12) B et C ☐

Ton résultat : ☐

ENTRE 55 ET 60 : Là, tu m'épates ! Perspicacité, intelligence et connaissance : tu as toutes les qualités requises pour être un membre officiel des Téméraires. Les gens de ton quartier peuvent dormir sur leurs deux oreilles... CAR TU VEILLES !

ENTRE 45 ET 50 : Excellent pointage ! Tu as probablement lu tous les Passepeur. Si j'étais un fantôme, tu peux me croire, ce n'est pas ta maison que j'irais hanter. J'aurais trop peur que... TU ME PASSES À TRAVERS LE MUR !

ENTRE 35 ET 40 : C'est pas mal (c'était mon score à moi aussi lorsque j'ai fait ce test la première fois) mais, dans la vie, on a toujours quelque chose à apprendre. C'est normal, ne te décourage pas. En attendant, fais très attention aux gens qui ont le teint pâle ou qui te regardent d'une bien drôle de façon : on ne sait jamais...

ENTRE 0 ET 30 : Ce n'est pas que je veuille t'effrayer, mais à ta place, je me trouverais vite un ami... QUI A EU 60 À CE QUIZ !

J'espère que tu t'es bien amusé, car c'était ça, LE VRAI objectif de ce test.

Bons cauchemars...

Richard Petit

NE MANQUE PAS
TA PROCHAINE AVENTURE :

SCOOTER TERREUR